Marcela Tavares
sem filtro

Por trás das câmeras

Novas Páginas

© 2016 Editora Novo Conceito
Todos os direitos reservados

1ª Impressão – 2016
Impressão e Acabamento RR Donnelley 030616

Produção Editorial
Equipe Novo Conceito

Fotos: Vinicius Tribian
Beauty: Pâmela Luz
Manipulação de imagens: João Manfrenatti
Direção: Agência 021

Dados Internacionais de Catalogação na Publicação (CIP)
(Câmara Brasileira do Livro, SP, Brasil)

Tavares, Marcela
    Marcela Tavares sem filtro. -- Ribeirão Preto, SP : Novo Conceito Editora, 2016.

    ISBN 978-85-8163-834-8

    1. Blogs (Internet) - Vídeos 2. Comunicação digital 3. Internet 4. Redes sociais online 5. YouTube (Recurso eletrônico) I. Título.

16-04220   CDD-303.4833

Índices para catálogo sistemático:
1. Video : Blogs : Internet : Comunicação digital 303.4833

Novas Páginas
Rua Dr. Hugo Fortes, 1885
Parque Industrial Lagoinha
14095-260 – Ribeirão Preto – SP
www.grupoeditorialnovoconceito.com.br

AGRADECIMENTOS

Quero agradecer primeiramente a Deus, minha mãe, meu pai e a Xuxa (mentira).

Agradeço minha mãe por ter sido paciente e ter acreditado sempre em mim (provavelmente ela vai estar chorando quando ler isso). Meus irmãos, Léo e Claudinha; minhas primas queridas, Alexandra e Bel, que me aturaram levemente chata quando passava noites sem dormir pra que este livro estivesse pronto.

Muito obrigada minha equipe linda: Johnny Ferro, que está sempre ao meu lado. Allan Pitz, por ter se aventurado neste livro comigo. Ana Paula Linda Lima, que confiou no meu trabalho e cuida de mim como se eu tivesse nove anos de idade. Fábio Güeré, por ser tão parceiro e um pouco gato.

Chris Florez, Marco Zeni... MUITO OBRIGADA! (Tomara que eu nunca brigue com vocês, pra não me arrepender de tanta rasgação de seda.)

Obrigada Felipe Lourenço, por ter infernizado a minha vida pra que eu começasse a gravar meus vídeos. Valeu, Mano Maromba, por aquele compartilhamento láááá no começo. Vou ser eternamente grata a você.

Obrigada Editora Novo Conceito por esta oportunidade, por permitir a realização de um sonho e por ter me dado liberdade de fazer um livro do meu jeito escaralhado de ser.

E por último, não menos importante, quero agradecer MUITO, todos os meus fãs nacionais e internacionais. Sem vocês, nada disso estaria acontecendo (ou estaria? Brincadeirinha).

Eu gosto um pouco de todos vocês.

COM INFERNOOOOOOOOOOOOOO,

Marcela Tavares.

PREFÁCIO

"Ou arruma um trabalho, ou um homem rico para te bancar". Cada um tem a frase motivacional que toca não só o fundo do coração, mas também o fundo do bolso, e essa foi a frase que a nossa pequenina Marcela ouviu de sua compreensiva e apoiadora mãe. Sem saber muito o que fazer, já que trabalho está difícil e homem rico em extinção, ela resolveu seguir o que todo ser humano sensato e prudente poderia fazer: reclamar nas redes sociais. Afinal, se um barbudo tatuado, se uma ex-gordinha e se um rapaz que usava óculos escuros no quarto estavam ficando ricos, por que uma loira de olhos claros, que só não virou modelo por falta de 30 centímetros, não poderia tentar?

Sim, ela tentou e já no primeiro vídeo teve um retorno inesperado (isso talvez porque ela nunca tinha feito outro vídeo antes). Foi aí que nossa gigante acordou e não parou mais. Falando de temas casuais ou polêmicos, bobos ou interessantes, a pequena Marcela conquistou centenas, milhares, milhões de pessoas que não só se identificaram com a sua oratória e seus belos olhos esbugalhados, mas também viraram fãs das suas opiniões e apontamentos irrequietos e contundentes.

É difícil acreditar que em 1,54 m de pessoa possa existir tanta energia e atitude. Tudo que essa mocinha faz, tem uma entrega gigantesca e o conteúdo deste livro não foge a essa regra.

Marcela Tavares sem Filtro é um soco na boca do estômago de uma sociedade hipócrita e recalcada, que aos poucos vem se rendendo aos encantos indignados dessa carioca. De política a aulas da boa e velha língua portuguesa, passando por chatices que enfrentamos no dia a dia e puxões de orelha extremamente pontuais, este livro é a válvula de escape de que você precisa.

Enfim, a Marcela Tavares é um minifuracão, uma minimetralhadora... É uma pequena mais que notável.

Fábio Güeré – humorista, escritor e roteirista

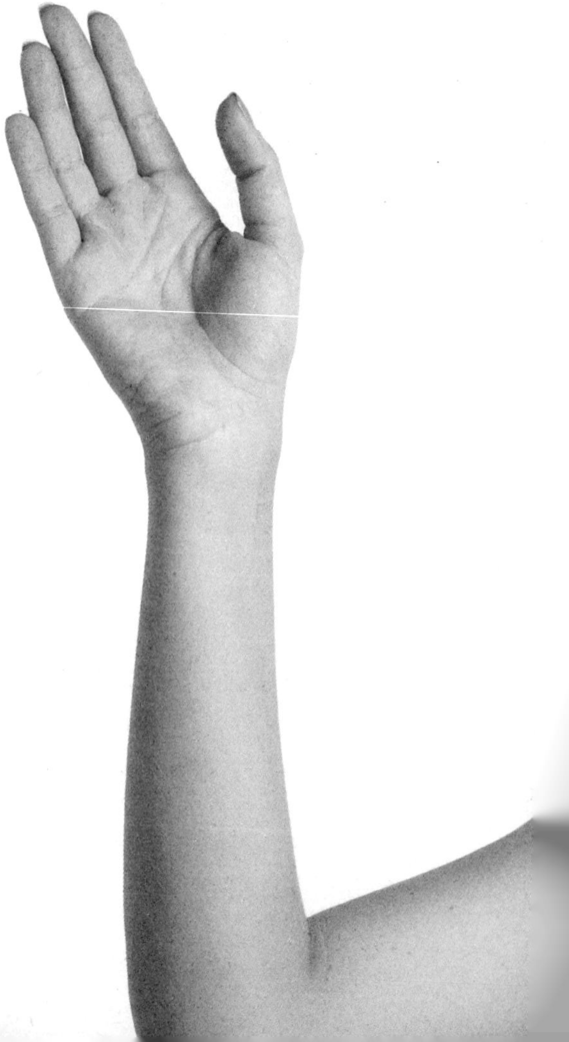

OLÁ, BRASIL...

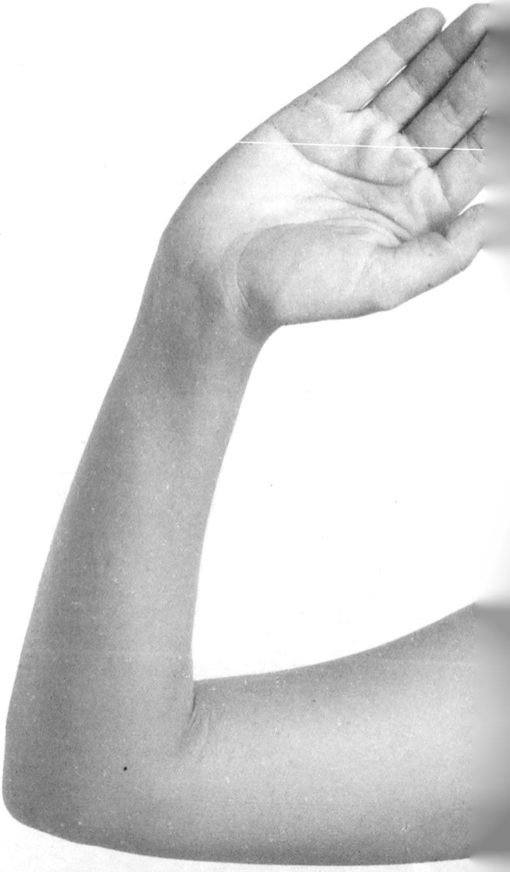

OLÁ, FÃS NACIONAIS E INTERNACIONAIS

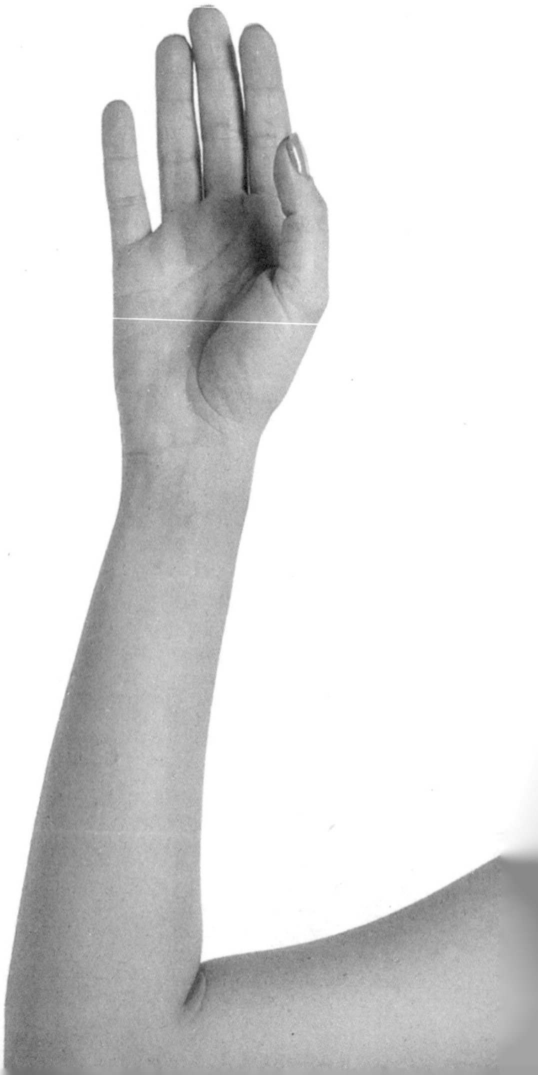

OLÁ, NOVOS LEITORES...

E OLÁ TAMBÉM PRA VOCÊ QUE ESTÁ APENAS FOLHEANDO O LIVRO! :)

Se você não me reconheceu pela linda imagem da garota fazendo careta na capa, provavelmente está aí do outro lado, com cara de caneca branca, se perguntando: "Quem é essa fulana? É uma nova autora de livros eróticos? De fantasia? De culinária? Mais uma vlogueira querendo invadir o mundo literário?".

Pééééééééé!

Para todas as perguntas acima, a resposta é não. Eu sou Marcela Tavares, a menina dos vídeos!

Aquela, sabe, que tem olhão arregalado e testa grande, que grita pra caralho, que não tem medo de falar o que pensa, que não tem muito filtro mesmo. E assim... Lembrou? Talvez eu já tenha invadido a sua timeline dia desses. Caso não tenha se recordado, o que você anda fazendo que não entra tanto nas redes sociais, hein?

Neste momento eu poderia estar matando, roubando, desviando verba de algumas estatais, sendo dançarina de axé, vendendo churros na praça, berrando oferta no supermercado, sendo presidente do Brasil, compondo o próximo hit do verão ou desfilando nas passarelas do mundo (se eu tivesse mais 30 centímetros de pernas, lógico), mas não. Em vez disso, resolvi ligar o celular e falar o que penso, fazer humor com toda a liberdade do mundo. Pronto. De repente, em menos de seis meses, mais de um milhão de seguidores apareceram! Da noite para o dia, passei a ser amada e odiada por pessoas que eu não conheço, meus vídeos começaram a atingir mais de quinze milhões de visualizações, e a explosão foi inevitável. A fórmula? Liberdade. O objetivo? Ser eu mesma, sem dever nada a ninguém (exceto ao banco e à minha mãe, mas já estou pagando meus credores em suaves prestações).

Neste livro (puta merda, escrevi um livro, agora preciso plantar uma árvore!), que não é biografia e muito menos autoajuda, eu conto tudo que acontece por trás do meu celular, as polêmicas e confusões em que me meti, a repercussão dos meus vídeos, além, é claro, de uma receita de bolo fit maravilhosa (é sério, procura lá no final!).

Mas caso você seja daqueles que não lê porra nenhuma mesmo, sei lá, este livro também é superútil para enfeitar a sua estante ou escrivaninha. ;)

Viralizei.
E agora?!

Antes de começar, é importante você saber uma coisa: eu sempre quis ser atriz e Paquita da Xuxa. Só que trabalhar com arte e fazer sucesso é como dar trezentos tiros no escuro querendo acertar o alvo. Pode ser que da primeira vez você acerte bem no meio, ou então precise continuar treinando a mira (se bem que você pode treinar a vida inteira e nunca acertar). Não existem garantias, e em 99% dos casos falta ao artista mais do que o sonho, falta uma série de fatores que vão te levar ao sucesso ou não. Mas, sinceramente, também falta autocrítica e estudo para muitos que se lançam ao mercado visando somente a fama, mesmo que passageira. Nesse caso, o amor pela arte vem em terceiro plano.

Uma semana antes do primeiro vídeo, tudo estava dando errado na minha vida. Sem trabalho, sem namorado, sem expectativa, sem dinheiro até para comprar um pãozinho de sal com mortadela (que na época ainda não era oferecido nas manifestações). Eu morava de favor na casa da minha prima, vivia correndo atrás de grana para não me sentir um encosto. Então tomei a decisão de jogar tudo pro alto, voltar pra casa da minha mãe e procurar um emprego "normal". Naquele momento servia qualquer coisa, pois todo o trabalho é digno, (também não tenho lá muitas habilidades) e eu precisava ganhar algum dinheiro. Pensei até que seria uma boa entrar no Tinder e arrumar um marido rico, mas nem meu pacote de dados estava colaborando muito, e vamos combinar, eu não vim ao mundo para depender de homem nenhum. A sorte é que eu ainda tinha tinta na impressora e consegui imprimir o meu singelo currículo. Não é exatamente este aí embaixo, mas bem que poderia ser:

(Segue o currículo)

Marcela Tavares
Atriz

Dados Físicos

Altura	Peso	Cabelos	Olhos
1,79	55kg	Louros	Verdes

Teatro

O FANTASMA DA ÓPERA — Personagem: O Fantasma da Ópera
Teatro Majestic de Nova York

HAMLET — Personagem: Hamlet
Odeón de Herodes Ático, Atenas, Grécia

O BALCÃO — Personagem: Balcão
Coliseu, Roma, Itália

ENTRE QUATRO PAREDES — Personagem: 3ª Parede
Royal Albert Hall, Londres, Reino Unido

O REI LEÃO — Personagem: Simba
Teatro Bolshoi, Moscou, Rússia

CABARET — Personagem: Quenga 4
Teatro Solís, Montevidéu, Uruguai

Cinema

TITANIC   Personagem: Navio

FROZEN   Personagem: Olaf

STAR WARS   Personagem: Star
(O Despertar da Força)

*O REGRESSO   Personagem: Urso que quase matou Léo

Formação Acadêmica e Cursos Livres

TEATRO   Harvard

BALLET CLÁSSICO   Ballet Russian Bolshoi

Habilidades

CNH A, B, C, D, E, F... canta, dança, apresenta, desfila, lava, passa, cozinha e toca 19 instrumentos.

sem filtro

Bom, estava na cara que, pela falta de experiência, eu não conseguiria porra nenhuma. Um artista, quando se fode e resolve voltar atrás, percebe que tudo que ele tem no currículo não serve pra nada no mundo "real". Artista é bicho teimoso que joga com a sorte, e, em muitos casos, o talento só serve pra comer (nada de pensar besteira, tá?). Quanta gente boa desiste no meio do caminho, e quanta gente ruim segue fazendo sucesso? Essa é uma pergunta que eu me fiz inúmeras vezes.

Eis que, numa tarde ensolarada, entrei na internet para ver as notícias (sim, eu leio sites informativos e também de muita fofoca) e em toda a parte pipocava a mesma matéria: a polêmica que envolvia o casal mais famoso da música brega pop, os reis de Belém do Pará. Aquilo me incomodou de imediato. Primeiro porque parecia que nada mais importava, não existia mais assunto, não existia crise, falta de professor em escola, aquecimento global, nem mesmo jogo do Corinthians ou do Flamengo. Parecia que era a notícia mais bombástica do mundo e todos deveriam ficar sabendo. Eu, sinceramente, poderia cagar para tudo aquilo. No entanto, é quase impossível dizer que a situação não me irritava. Lembro de ter ficado tão puta que liguei para o meu amigo Allan (oh, tadinho dele), que já não aguentava mais ouvir minhas reclamações, para saber se ele estava tão indignado quanto eu, **E, GRAÇAS A DEUS, EU NÃO ERA A ÚNICA**, ele também não entendia o porquê daquela mídia toda em cima da separação de um casal. Ficamos mais de uma hora dialogando sobre a notícia, Allan xingava e falava sobre a inversão de valores e a missão real do jornalismo. Chegamos à conclusão de que faltava coragem para alguém expor alguma coisa, ou seja, um contraponto. Então veio a ideia de gravar um vídeo expressando minha opinião sobre aquele verdadeiro circo da mídia, até porque eu já tinha o meu canal no YouTube, mas, **INFEEERNO**, eu não tinha uma câmera profissional. Nessa época eu gravava os vídeos na produtora de um amigo meu (obrigada, Elias!), que me ajudava cedendo o equipamento dele. Gravávamos lá todos os vídeos que eu subia para o canal, e todo mundo sabe que, quando se grava com equipamento profissional, por mais pressa que se tenha, o negócio fica mais bacana.

Bem, mas eu não tinha câmera, e pronto. Naquele dia, por causa do horário, não queria ir à produtora que fica no centro da cidade, onde existe uma enorme concentração populacional de velhos do saco e eu me cago de medo deles (desculpa, senhor velho do saco, se por acaso o senhor encontrou este livro no lixo e está lendo, não é nada pessoal, apenas trauma de infância), tudo que eu tinha em mãos era o meu celular e uma argumentação pronta na mente. Pensei novamente: "Foda-se. Vou gravar do celular mesmo e postar no Facebook pra não diminuir a qualidade do conteúdo do canal", já que eu podia contar com todo o profissionalismo da produtora, e não seria nem justo com eles, até porque seria um material diferente de tudo que vinha postando. Gravei com o celular em pé mesmo, nem me toquei que

sem filtro

precisava colocar o aparelho na horizontal, e acabei criando um novo conceito.

Viralizei...

Viralizei no Facebook (pra você que não sabe, viralizar é ter mais de um milhão de visualizações em um vídeo). Em questão de poucas horas, o vídeo tinha mais acessos do que tudo que eu já havia postado no meu canal. E, detalhe, viralizou na página de outra pessoa, MC Maromba, que compartilhou o vídeo e teve a inteligência de marcar a minha fanpage, que no dia tinha somente 427 curtidas. Num piscar de olhos, já estavam lá mais de dez mil fãs. Inimaginável.

Logo vieram os comentários. Ao mesmo tempo que eu era aplaudida, era também xingada e até mesmo ameaçada de morte por distintos cavalheiros e algumas senhoras de idade, que provavelmente usavam a música da banda como toque do celular. Deu um pouco de medo, é claro. A situação era completamente nova. Ao mesmo tempo que me divertia com os comentários, nunca fui chamada tantas vezes de rapariga (utilizei aqui o melhor sinônimo que encontrei, ok?) na minha vida! Foi como navegar num tsunami dentro de um barquinho de papel. Hoje em dia acredito que já estou mais calejada e consigo lidar com os haters, até porque acho que tenho mais gente me apoiando do que gente falando mal, não é mesmo?

Viralizei e não ganhei um centavo!

Claro, eu podia ter postado o vídeo no YouTube, que dá uns bons trocados dependendo do número de visualizações, propagandas, mas não... A tonta aqui deixou passar essa! Fui meio que uma apostadora de loteria que joga sempre os mesmos números, e, justo na vez em que resolve não apostar, a sua combinação é premiada. Continuei ferrada, mas pelo menos ganhei um pouco de popularidade. Tanto é que muitas pessoas que me xingavam por causa do vídeo hoje me amam. É sério, acreditem, tem vários fã-clubes da cantora brega pop que me seguem no Instagram. S2

Estava feito. Nascia assim o quadro Marcela Sem Filtro. No começo tive receio de ficar conhecida apenas como a garota que fez um vídeo falando sobre a banda, e de ficar uma semana aparecendo em programas de fofoca até desaparecer na mesma velocidade. Porém, entretanto, contudo, todavia, esse não foi o fim. Foi apenas o começo de muita polêmica nas redes sociais.

EXPECTATIVA

REALIDADE

Minha primeira vez... no YouTube

Morando no Rio de Janeiro, comecei a fazer teatro desde pequena (HAHAHA! CRIANÇA!). Sempre gostei de brincar de ser outra pessoa (vai entender, eu sempre me adorei, então, por que isso?). Mas quando terminei o Ensino Médio, decidi que queria ser uma pessoa "normal", queria ter uma profissão em que eu trabalhasse de segunda a sexta, um marido, dois filhos e um cachorro (continue a música sem me xingar). Com dezessete anos, prestei vestibular pra Medicina. Passei na primeira fase. Sempre conto isso pra todo mundo, faz com que eu me sinta mais inteligente, SQN. Fui fazer faculdade de Odontologia (sendo que tenho alguns dentes tortos, que contraditório). No primeiro dia de aula, todos precisavam usar branco, e eu lá, discípula do *Dr. House*, pensei: "Caaara, é isso que eu quero pra minha vida!".

Até, é claro, a minha primeira aula de Anatomia. Porque, quando cheguei ao laboratório, a única vontade que tive foi de correr pra bem longe dali. Eram tantas cabeças de pessoas mortas, membros separados, sem contar o cheiro de formol... (Moço, me dá um pouquinho disso pra eu fazer escova progressiva?)

Eram catorze alunos e a gente tinha uma cabeça pra cada um (além da própria, é claro). Ah, uma dica pra vida: estude bastante pra você não se tornar um indigente e acabar num laboratório. A cabeça que estava à minha frente devia ser a mais assustadora de todas. Era de um homem, tinha um dente de ouro, pelos (MUITOS) nas orelhas e no nariz. Passei uma semana vendo aquela cabeça em todos os lugares aonde eu ia: restaurante, ônibus, supermercado, até mesmo quando fazia os famosos números um e dois. Depois disso, tive duas certezas na minha vida: não queria mais ser dentista e nunca mais comeria carne-seca (é da mesma cor dos cadáveres e eu espero que você não tenha planejado comer isso no almoço de hoje).

Aos vinte e um anos, tranquei a faculdade, mas ficaria com a consciência pesada se tivesse que desperdiçar as roupas brancas. Aí está, mais uma contradição na minha vida: fui fazer Enfermagem! Como assim, eu, que tenho medo de sangue, agulha, ambulância, lagartixa e velhos do saco vou ser enfermeira? Permaneci durante quatro períodos, até o dia em que meu pai foi internado e precisei ficar indo e vindo de um hospital durante três meses. Toda vez que uma ambulância chegava, eu quase me escondia atrás de alguém. Meu pai acabou falecendo, mas o trauma permaneceu. Ainda bem que minha mãe foi firme comigo e disse:

— A PARTIR DE HOJE, NÃO PAGO MAIS A SUA FACULDADE, *TU VAI* FAZER TEATRO!

Acreditam nisso?! Enquanto a maioria das famílias é contra, minha mãe praticamente me empurrou de volta para a arte! E lá fui eu querer ser outra pessoa novamente. Dessa vez, direto para a Casa das Artes de Laranjeiras (CAL). Mas a verdade é que também não foi nada fácil. Eu odiava a turma com todas as minhas forças (exceto umas seis pessoas, que são meus amigos até hoje). Eles eram chatos, pseudointelectuais e ficavam brigando por papéis nas apresentações que tínhamos às vezes, e eu sinceramente estava cagando pra tudo aquilo, só queria ser a nova Carolina Dieckmann em *Laços de Família*.

E eu sempre pegava os piores personagens. Já fui galinha, mendigo, estátua, a menina que arrumava cenário, no entanto, apesar disso, nunca tive vontade de desistir. Sempre aprendi quebrando a minha cara, me ferrando, caindo (de Havaianas) e levantando. Mas também costumo me arrebentar uma vez só e pronto. E justamente nessa de me ferrar de bobeira, só pra ter conhecimento, entrei no YouTube pela primeira vez. Pois é...

Recebi o convite pra gravar com uma galera que conheci no teatro um tempo antes. No começo eu não entendia nada de nada, mas lembro de ter gostado da proposta, porque só precisava atuar, e a ideia de aproveitar essa nova onda de vídeos publicados na internet me pareceu uma boa. Boa, não, UMA PUTA IDEIA! Pensa comigo, gente: se você vive na pindaíba, faz um trabalho artístico e pode expor num canal gratuito para o mundo inteiro, e ainda receber por isso, por que não fazer?

Fui lá, então, conferir o tal projeto, e começamos a gravar uma vez por semana na zona sul do Rio de Janeiro. Mas me deixa falar uma coisa antes de continuar (calma que eu falo pra cacete, mas não perco o raciocínio, espera): o YouTube é a ferramenta mais democrática e popular do século! Sem aluguel de teatro, câmeras de cinquenta mil reais, produções gigantescas, figurinos, cenários superelaborados, Lei Rouanet, teste do sofá, porra nenhuma! As pessoas chegam e mostram o seu trabalho. Se for bom, o povo curte e segue; se for merda, o povo limpa e dá descarga. Então, o processo é simples, muito simples.

Bem, voltando ao assunto, eu estava lá gravando vídeos de "humor". Por que o humor está entre aspas? Porque em nenhum momento eu achei aquilo engraçado, original, relevante ou inovador. Pelo contrário. A gente defendia uns textos bem bobos, nada era o tipo de humor que eu havia aprendido a fazer nas aulas de teatro (apesar de não acreditar que humor seja uma coisa que você aprende na escola, porque o que você aprende são as técnicas, o humorista já nasce fazendo stand up). E estar ali começou a me fazer mal rapidamente. Eu não me sentia atriz, ou melhor, eu não era nada enquanto ficava diante daquela câmera. A sorte é que esse projeto me aproximou do Allan (de novo, tadinho do Allan), o meu fiel escudeiro em algumas furadas e conquistas surpreendentes. A gente se conheceu lá, um puxava risada do outro o tempo todo, desde o início. Ríamos de qualquer improviso que promovíamos na hora, menos do que realmente era para ser engraçado. Hoje em dia, a gente percebe que aquelas risadas eram uma espécie de defesa. Um mecanismo que criamos para continuar trabalhando ali, sem ganhar um centavo.

Era foda... O tempo passava e a gente seguia mais infeliz, as expectativas não eram boas e a realidade era uma droga. O sonho tinha sido enterrado como numa caixa de areia para gatos cheia de bosta. Eu perguntava: "Allan, que merda é essa? O que a gente ainda tá fazendo aqui?". Ele não sabia responder. *Eu* não sabia responder! As visualizações do canal diminuíam mais e mais, e, pelo tipo de trabalho apresentado, acho que não podia ser diferente. Mas, acredite, eu continuava gravando e dividindo lanche na padaria com o meu amigo para segurar a onda da grana sempre curta. Tudo isso durou tempo suficiente para eu perceber que não me encaixava em nada do que estava fazendo ali.

A gota d'água veio no fim de semana em que minha tia faleceu e, no mesmo dia, minha mãe sofreu um grave acidente de carro. Entrei em colapso. Precisava gravar e, obviamente, não consegui comparecer. Sem apoio, depois de ir ao velório e de conferir que minha mãe estava bem, liguei para o Allan e disse que estava cansada de tudo. Para minha surpresa, meu amigo decidiu abandonar o projeto. Mas duas coisas boas eu havia tirado dessa experiência: a minha amizade com o Allan e o aprendizado sobre o que eu não devia fazer no YouTube.

    E, de certa maneira, tive sorte, porque isso foi um bom começo.

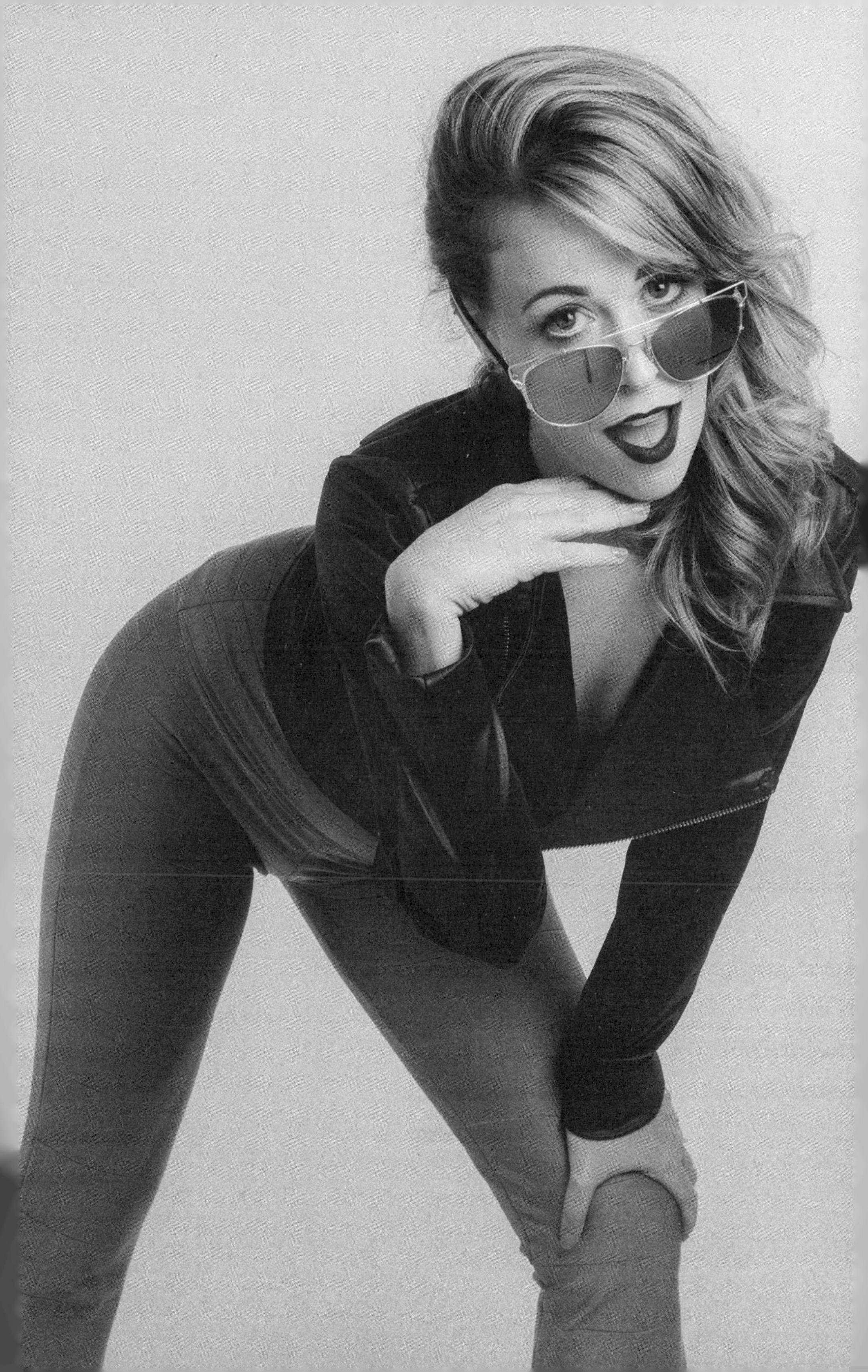

Por falar em sem filtro

Eu costumo dizer que a nossa geração é a mais "mimizenta" de todas. As pessoas confundem o respeito ao próximo, ao ser humano em geral, com uma infinidade de listas comportamentais estabelecidas para criar o papel cansativo de bom moço. O resultado disso é uma mordaça invisível que vai calando bocas e opiniões, pouco a pouco. Então, em cima dessa questão, vamos lá: de repente aparece uma pessoa que fala todas as suas verdades descontroladamente, descabelada, sem edição e sem medo de processo (até porque ainda não dei motivos para ser processada). Pronto, achamos a cura para o câncer (brincadeira, quem dera)! Porém, é mais ou menos assim que as pessoas me veem. "Uma voz do povo", como costumam me chamar, "a garota do vídeo que me representa", e por aí vai.

Mas por que as pessoas me veem dessa forma? Por que o quadro Sem Filtro faz tanto sucesso?

Volto à questão do mimimi, da regra comportamental, das ideias invertidas, essa coisa toda que vai calando e oprimindo as pessoas. Hoje em dia a galera sente pavor de expressar a verdadeira opinião. E, cá pra nós, muitos dessa geração sentem preguiça de pensar até formular uma opinião própria. Ninguém quer cozinhar as informações, tudo deve ser mastigado e pronto para engolir. O trabalho de pensar acaba ficando para os que não se omitem. E, com isso, eu também ganhei a fama de ser a "reclamona" dos vídeos. Mas reflita comigo: qual é a necessidade de ter filtro para falar de uma coisa que você gosta, para expressar quem você é de fato, e isso inclui a maneira como age? Seria contraditório!

Se tem uma coisa que me dá um ranço (sim, tenho muito ranço dos pseudoengajados) é aquela turma que quer salvar o mundo (as baleias do Ártico, a última tribo indígena da Polinésia, o lobo selvagem canadense, a árvore sagrada do Tangamandápio), mas é incapaz de ajudar a vizinha idosa a carregar uma bolsa, incapaz de lavar um copo sujo na pia. Se a pessoa quer mesmo mudar o mundo, acho que ela deveria primeiro mudar a casa dela, a rua dela, e fazer o bem por onde passa (talvez depois dessa argumentação toda eu seja a nova apresentadora de um desses programas televisivos sensacionalistas). O contrário disso é DEMAGOGIA. O mais chato do pseudoengajado é não perceber que aqui mesmo há muito o que se fazer. E não adianta pagar de hippie de boutique, natureba de fast-food, nada disso. Mudar o mundo começa por mudar a minha cidade, o meu estado, o meu país. Eu pego os acontecimentos do dia a dia, coisas que estão na vida dos brasileiros e que realmente me deixam puta e solto lá no canal a minha opinião.

Apesar de eu ser atriz (com DRT 45636/RJ), o Sem Filtro nasceu mambembe, bem escrachado, na horizontal, assim como o meu canal do YouTube (mas isso é tema para o próximo capítulo). Sem roteiro, sem jogo de cena, sem pílulas de Polegarina (só quem assiste ao Chapolin vai entender), nada. Essa é a mágica! Quando você vê os atores contracenando, por mais que a emoção da cena te pegue naquele momento, no fim você sabe que é tudo ficção. Os atores seguem um texto, uma programação. No Sem Filtro isso não acontece. Ele é verdadeiro, é real, e, se a pessoa se emociona com aquilo, bingo (ganhei um liquidificador e uma batedeira)! Acertei! Porque eu não solto um vídeo esperando que ele tenha um milhão de visualizações em uma hora (mas, no YouTube, até que isso não seria nada mau). O que eu espero é que o meu vídeo te toque de alguma forma (sem perversão, ok?). Daqui a uns vinte anos, ou menos, quero contar aos meus filhos (e, se continuar encalhada, contarei aos meus cachorros) que ajudei a mudar o país de alguma forma, ou pelo menos tentei. Se bem que, até lá, eu posso ser a nova presidente (será?).

Acho que este capítulo ficou reflexivo demais, não é?

Hummm... Vamos para o Facebook stalkear o crush?

... E nasce uma facebooker

Hoje em dia tudo é rotulado. A gente tem essa necessidade estranha de dar nome aos bois. E então, nasceu a expressão youtuber, utilizada para identificar profissionais sérios, engajados, e que fazem vídeos maravilhosos (e também muita inutilidade) para o YouTube. Mas esse lance de ser chamada de youtuber me incomoda um pouco. Antes de ser youtuber, eu sou atriz, e antes de ser youtuber (mais uma vez), e aproveitando essa onda de inovar criando nomes, eu me considero uma legítima FACEBOOKER. Por que não? Afinal de contas, é lá no Facebook que os meus vídeos fazem mais sucesso.

Ser youtuber, na verdade, virou o desejo de muita gente. Olha que maneiro: você, dentro da sua casa, grava um vídeo e pode ficar milionário com a exposição de anúncios. Cara, isso é demais! Porém, como tudo na vida pode ser legal pra caramba ou escroto, a coisa não funciona bem assim. É preciso um bom número de visualizações e seguidores, patrocínios e uma caralhada de coisas pra você realmente conseguir ganhar uma boa grana. Entendo que isso deu muito certo para quem pegou o YouTube no início, e que ainda pode acontecer com qualquer um, mas está cada vez mais difícil. Existe tanto canal que, no fim das contas, sobra apenas uma migalha para cada. E as pessoas, nessa ilusão dos milhões, acabam esquecendo a existência de outras redes sociais.

Eu, como boa aluna que sempre teve uma estrelinha na testa, resolvi colocar o meu fusquinha na contramão, de novo.

O público do YouTube é mais específico, geralmente são mais jovens, antenados em vários canais, e estão sempre por ali, naquele universo, consumindo vídeos dia após dia. Já no Facebook, não. Eu acabei pegando todos os públicos, desde os teens até a mãe e o pai, o tio, o amigo da faculdade, o vendedor de cachorro-quente e o empresário de sucesso (que talvez vá até me patrocinar depois de ler este livro). E posso aparecer na sua timeline de repente, porque quase todo mundo tem Facebook, gente! O Facebook é a união de todas as tribos, de todas as idades, de todas as classes sociais. Puta merda, tô dando ideia pra vocês, hein? Olha como eu sou maneira. Funciona assim: um vídeo viralizado no Facebook, tenha certeza, acaba entrando na casa de quase todo mundo (bate aqui, Zuckerberg).

sem filtro

Me deixa voltar ao assunto rapidinho, porque eu falo demais (pelo amor de Deus) e acabo esquecendo as coisas, mas quero dizer mais sobre rótulos neste capítulo. Eu também sempre fui muito rotulada. Desde que comecei a gravar os vídeos, fui acumulando títulos: comparações com alguns comediantes famosos, com alguns apresentadores revoltados, até mesmo com o paciente do manicômio e também a Angelina Jolie (não, essa última é mentira, quem me dera). E isso é uma coisa que também me dá muito ranço. Hoje em dia a gente anda tão carente de humor no país, tudo é tão politicamente correto, cinza, sem cor, que quando alguém faz alguma coisa de sucesso é o que basta para começar o jogo das comparações. Você precisa ser inspirado em alguém, parecido com alguém, ou seja, nada mais pode ser original.

INFEEEERNO!!!

Agora, preciso confessar que a única comparação que me deixa feliz é quando dizem que sou a nova Dercy Gonçalves... @#***?>%$#@*****!!!!

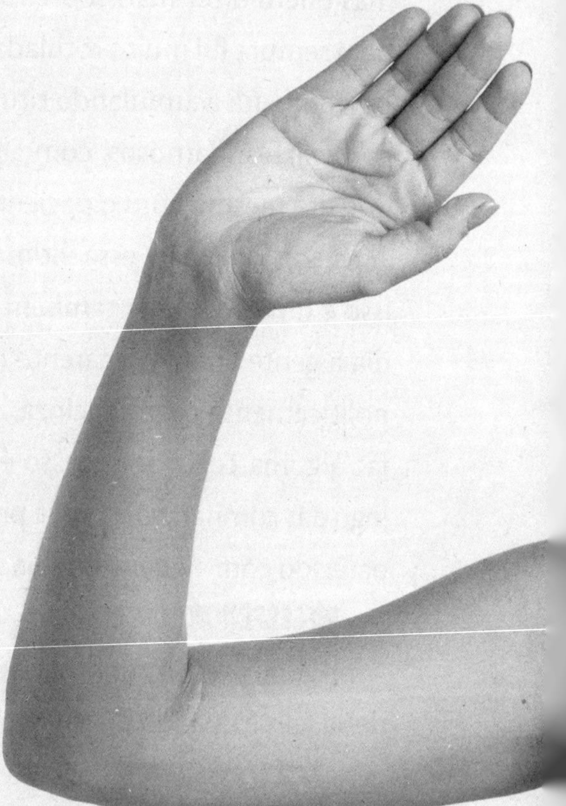

facebooker

EU
FALO
MUITOOOOO

EU TENHO ESSA MANIA DE FALAR MUITO E NÃO RESPIRAR PRA FALAR AS PESSOAS RECLAMAM E DIZEM PELO AMOR DE DEUS MENINA DÁ UMA PAUSA FALA MAIS DEVAGAR MAS EU NÃO CONSIGO GENTE EU TENHO ESSA NECESSIDADE DE ME EXPRESSAR DESSA FORMA E NÃO PERCO O RACIOCÍNIO SENÃO SERIA SÓ UM MONTE DE PALAVRAS DESCONEXAS ATRAVESSANDO A LÍNGUA MAS NO MEU CASO A PALAVRA VEM DIRETO DO MEU CÉREBRO DÁ UM PULINHO LÁ NOS PULMÕES PASSA PELA MINHA LARINGE FAZ VIBRAR AS PREGAS VOCAIS E CHEGA NA CASA DE VOCÊS QUE SÃO MALUCOS E QUE GOSTAM UM POUQUINHO DE MIM ÀS VEZES ATÉ EU FICO TRANSTORNADA COM TANTA FALAÇÃO PORQUE ESSA PORRA VEM DO MEU CÉREBRO E DÁ UM PULINHO NO AH JÁ FALEI ISSO DESDE CRIANÇA EU TENHO ESSA MANIA DE FALAR MUITO E ALTO E A COISA QUE EU MAIS OUVI NA VIDA FOI

Marcela Tavares

CALA A BOCA MARCELA MAS APOSTO QUE TEM ALGUÉM LENDO ISTO QUE SE IDENTIFICA COMIGO E TAMBÉM FALA QUE NEM UM CONDENADO TUDO BOM FICA COM DEUS TEM GENTE QUE TAMBÉM RECLAMA DA MINHA VOZ DE TAQUARA RACHADA MAS EU QUERO COMUNICAR A VOCÊS QUE ESTA PESSOINHA AQUI FEZ MUITAS SESSÕES COM A FONOAUDIÓLOGA E PRA QUEM NÃO SABE O QUE É UMA FONOAUDIÓLOGA ELA É AQUELA PROFISSIONAL VESTIDA DE BRANCO QUE FAZ A GENTE ENROLAR E DESENROLAR A LÍNGUA TANTAS VEZES QUE DÁ ATÉ CÂIMBRA MAS NEM TODAS SE VESTEM DE BRANCO SÓ QUE EU ACHO QUE DEVERIAM SE VESTIR MAS O QUE IMPORTA É QUE QUANDO UMA PESSOA QUE FALA DEMAIS TEM A CABEÇA CHEIA DE IDEIAS ELA SURTA E ESCREVE DESSE JEITO ESPERA AÍ RAPIDINHO PORQUE ENQUANTO EU TÔ ESCREVENDO O TELEFONE ESTÁ TOCANDO E EU NÃO VOU ATENDER APESAR DE FALAR DESCONTROLADAMENTE NÃO GOSTO DE TELEFONE ACHO ENTEDIANTE TAMBÉM O FATO DE NÃO CONSEGUIR FAZER DUAS COISAS AO MESMO TEMPO E AGORA ENQUANTO APERTO ESTE MONTE DE TECLAS AHH EU DESCOBRI QUE TAMBÉM FALO PRA CACETE COM AS MÃOS O QUE ME LEMBRA QUE TALVEZ SEJA MAIS OU MENOS UMA BOA APRENDER A LINGUAGEM DOS SINAIS MAS PELO MENOS O MEU NOME EU SEI FAZER EU TAMBÉM NÃO PARO QUIETA PARECE QUE TEM UM BICHINHO QUE SE MOVE A CADA SEGUNDO DENTRO DO MEU INTESTINO MAS NÃO PENSEM VOCÊS QUE ISSO É VERME OU LOMBRIGA PORQUE EU TOMO REMEDINHO TODO ANO MAS INFELIZMENTE TENHO PRISÃO

sem filtro

DE VENTRE DAQUELAS EM QUE NEM IOGURTE DE AMEIXA DÁ JEITO PUTA MERDA AGORA QUE EU ME LIGUEI QUE VAI SER MUITO DIFÍCIL LER E ENTENDER ESTE CAPÍTULO SEM PONTUAÇÃO E EU AINDA PRECISO SACAR CEM REAIS PRA COMPRAR SAL FARINHA LEITE OVOS E CHOCOLATE PORQUE EU PROMETI A RECEITA DO BOLO FIT PRA VOCÊS E TENHO QUE TESTAR ANTES DE ESCREVER NÉ ACHO QUE ISSO ME DEIXOU ANSIOSA E QUANDO EU ESTOU COM ESSE NEGÓCIO DE ANSIEDADE É AÍ QUE EU FALO MESMO É MAIS FORTE DO QUE EU UM AMIGO CONVERSOU COMIGO SOBRE ESSE NEGÓCIO DE ANSIEDADE E ELE DISSE QUE EU TENHO QUE COLOCAR PRA FORA E EU COLOCO PRA FORA MAS AS PALAVRAS SEMPRE SAEM DO MEU CÉREBRO E DÃO UM PULINHO NOS PULMÕES PUTA MERDA JÁ FALEI ISSO QUE SACO ÀS VEZES É INEVITÁVEL SER REPETITIVA E NÃO SE ESQUEÇAM QUE ANSIOSO SE ESCREVE COM "S" REPITAM COMIGO ANSIOSO SE ESCREVE COM "S" FALANDO EM ADJETIVOS FICO SEMPRE COM O PÉ ATRÁS COM PESSOA QUIETA DEMAIS SE VOCÊ É TÍMIDO OK MAS GENTE SONSA ME DÁ NOS NERVOS TUDO BEM QUE DEUS DEU DOIS OUVIDOS E UMA BOCA PRA GENTE MAS ME DÁ AGONIA QUEM NÃO SE COMUNICA UMA VEZ EU CONHECI UM HOMEM BEM QUIETINHO QUE EMPALHAVA ANIMAIS PARA PENDURAR EM SUA SALA DE JANTAR ONDE JÁ SE VIU ISSO EU PREFIRO OS BICHINHOS VIVOS MAS TENHO PAVOR DE BARATA RATO LAGARTIXA SAPOS JACARÉS E SEI LÁ MAIS O QUÊ MAS NÃO ME INTERPRETE MAL EU NÃO TÔ QUERENDO DIZER QUE TODO MUNDO QUE É QUIETO É SONSO HOJE EM DIA NEM

VAI PENDURAR ANIMAIS NA SALA DE JANTAR TUDO TEM QUE SER EXPLICADO PORQUE AS PESSOAS GENERALIZAM E ISSO FODE TUDO EU TENHO MUITO PROBLEMA TAMBÉM QUANDO EU VOU SAIR COM ALGUÉM PORQUE NÃO DEIXO A PESSOA FALAR SEMPRE INTERROMPO O RACIOCÍNIO DELA E POR ISSO MESMO JÁ ME CHAMARAM VÁRIAS VEZES PELO NOME DE UM APRESENTADOR DE TV QUE TEM A MESMA MANIA E ISSO DEIXA A GALERA PUTA E NINGUÉM MAIS QUER SAIR COMIGO MENTIRA QUEREM SIM EU SOU AMADA E REPITO ISSO COMO UM MANTRA TODOS OS DIAS EU TAMBÉM TENHO MANIA DE CONVERSAR COM ESTRANHOS DESRESPEITANDO A MINHA MÃE QUE SEMPRE ME ALERTOU A NÃO DAR CONVERSA PARA PESSOAS DESCONHECIDAS AH EU TAMBÉM PASSO HORAS CONVERSANDO COM MEUS PORTEIROS COM A MOÇA DA FARMÁCIA E O JORNALEIRO AQUI DA RUA QUE SEMPRE ASSISTEM AOS MEUS VÍDEOS TAMBÉM TENHO MANIA DE ANDAR FALANDO SOZINHA NA RUA E MUITAS VEZES EU ESTOU SÓ CANTANDO MAS AS PESSOAS PASSAM E PENSAM OH MEU DEUS É AQUELA GAROTA DOS VÍDEOS FALANDO SOZINHA DOIDINHA DE PEDRA IHH EU NÃO POSSO FALAR EM MÚSICA QUE ME DÁ VONTADE DE CANTAR MAS INFELIZMENTE EU NÃO POSSO CANTAR AQUI PORQUE TEM ESSE NEGÓCIO DE DIREITOS AUTORAIS MAS ENQUANTO EU DIGITO ISSO NÃO IMPEDE A MÚSICA DE SAIR DA MINHA CABEÇA APESAR DE TUDO EU SOU UMA PESSOA LEGAL PODE ACREDITAR NÃO FURO FILA NÃO RIO QUANDO ALGUÉM CAI NA MINHA FRENTE MENTIRA EU RIO SIM E ALTO AINDA NÃO ATINGI ESSE NÍVEL sem filtro

DE MATURIDADE E NÃO TENTO DAR JEITINHO DE MALANDRO PRA ESCAPAR DAS RESPONSABILIDADES AMO MINHA FAMÍLIA MEUS AMIGOS MEUS FÃS E MEU TRABALHO CUIDO DO MEU CACHORRO DA MINHA CASA DAS MINHAS CALCINHAS DA MINHA VIDA NUNCA ROUBEI NINGUÉM TUDO BOM FICA COM DEUS AH TAMBÉM AMO A MINHA VOZ APESAR DE TUDO QUE FALEI ÀS VEZES QUANDO EU ACORDO ROUCA EU FICO DESESPERADA PORQUE POSSO ATÉ FICAR SEM DINHEIRO MAS NÃO POSSO FICAR SEM VOZ DESDE CEDO ME DISSERAM QUE QUEM TEM BOCA VAI A ROMA E EU GOSTO UM POUCO MAIS OU MENOS DA ITÁLIA E AGORA QUE EU TÔ FAZENDO STAND UP QUEM SABE EU NÃO FAÇO UM SHOW EM ROMA PRA CONHECER O COLISEU E COMER PIZZA ATÉ VOLTAR ROLANDO PRA CASA E POR FALAR NISSO ACABEI DE LEMBRAR QUE EU PRECISO ME MATRICULAR NA ACADEMIA ESTA SEMANA MAS TENHO TANTA PREGUIÇA QUE EM VEZ DE MALHAR ACABO FICANDO AMIGA DO PERSONAL TRAINER E TEORIZANDO TODOS OS EXERCÍCIOS PORQUE EU FALO MUITO MAS NÃO PERCO O RACIOCÍNIO JÁ QUE AS PALAVRAS SAEM DO MEU CÉREBRO DÃO UM PULINHO EU ACHO QUE JÁ DISSE ISSO RESPIRA INFEEERNO!!!!!!!!!!!

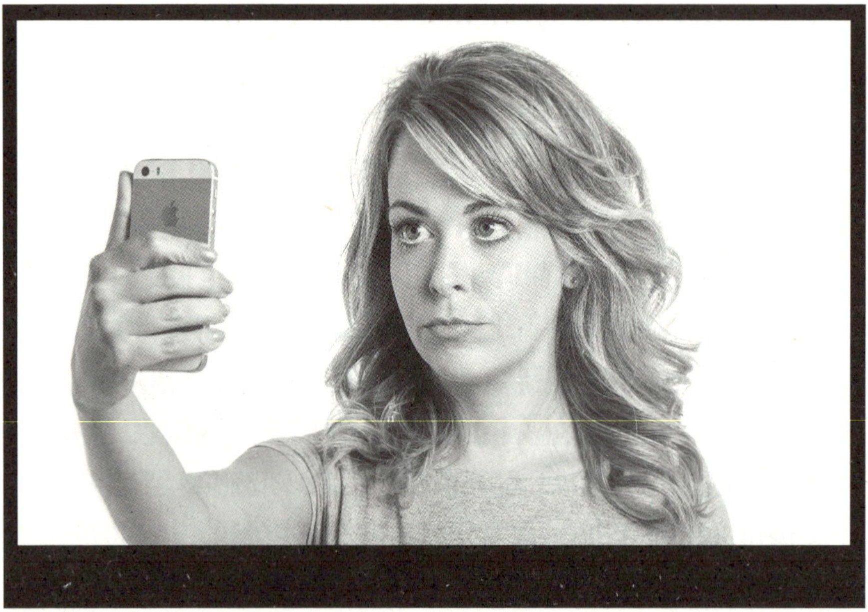

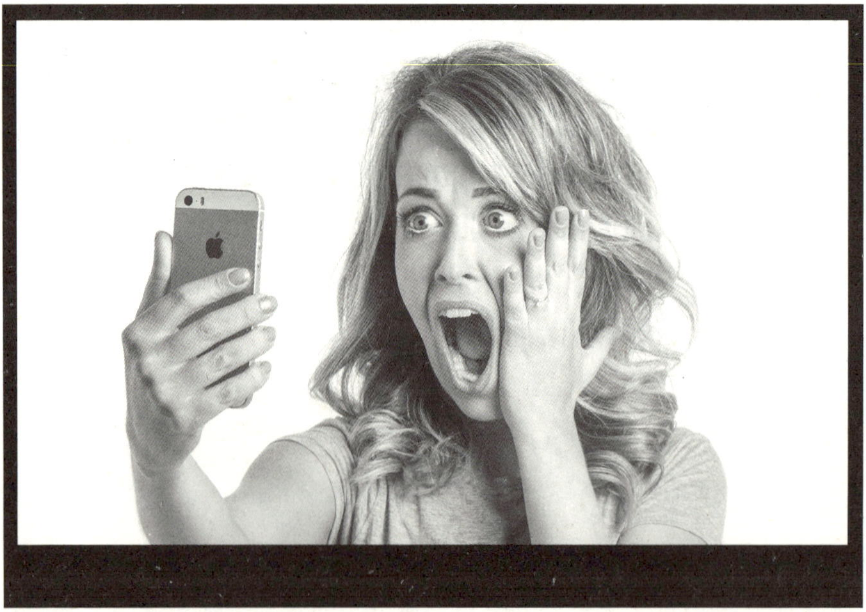

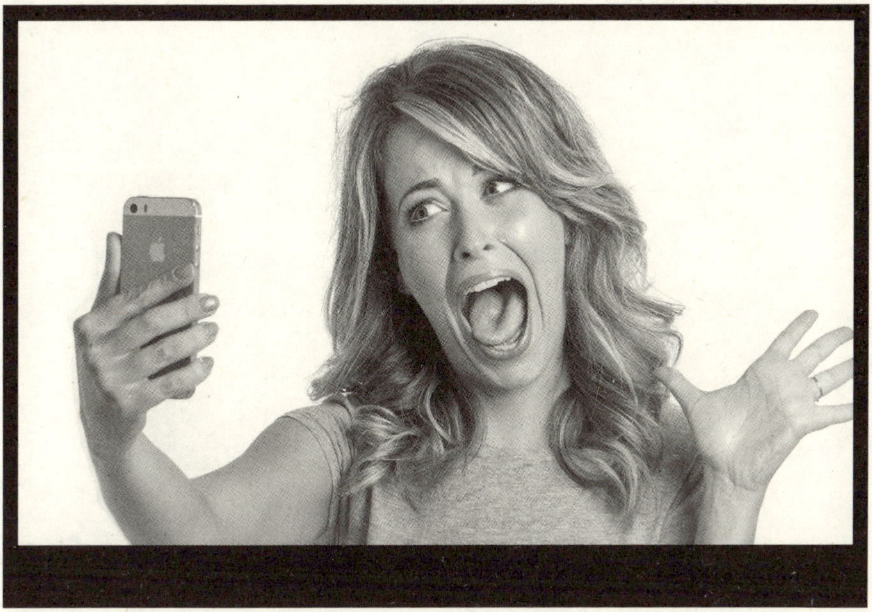

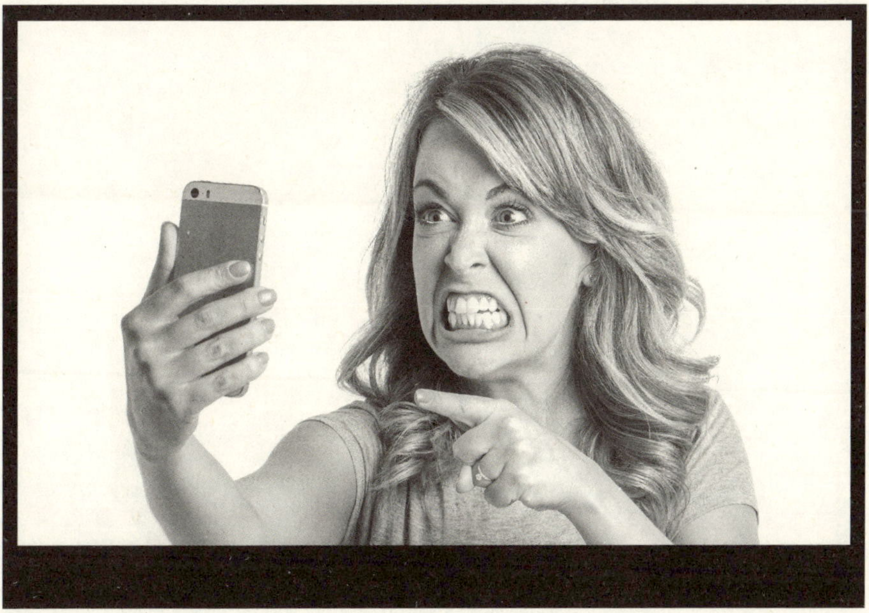

Meus amados haters!

Se você é meu hater, por favor, use uma imagem falsa, porque eu tenho memória visual excelente e costumo guardar todos os rostos. É sério. Se um dia eu te encontrar na rua, vou me lembrar do que você comentou. E aí, você está... (mentira, não vou fazer nada!!!).

Todo mundo tem mania de reclamar dos haters, menos eu e o sábio Justin Bieber. Mas como assim? Como você pode gostar de uma pessoa que insiste em te xingar e falar mal de você?! Então, vamos tentar entender essas criaturazinhas adoráveis que foram esculpidas delicadamente por Satanás.

Existem três tipos de haters. O primeiro é o **hater Drácula**, aquele que realmente te odeia, que quer cravar os dentes na sua jugular, te sugar por inteiro, e seja lá o que você posta nas redes ele sempre chega primeiro para te detonar, com o seu sangue nos olhos dele. Pode até ser um perfil com foto de coelhinho desejando Feliz Páscoa ou de uma criança sorrindo, que a pessoa chega falando de política e sei lá mais o quê, xingando até a sua milésima geração, mas ele está lá curtindo a página, inscrito no canal. Eles ficam na segurança do seu lar, tomando seu copo de achocolatado morno.

O segundo é o **hater solitário,** que costuma não ter amigos, nutre aquele enorme sentimento de exclusão e talvez tenha sofrido ou ainda sofra um pouco de bullying na vida. Ao contrário do hater Drácula, ele não te odeia de verdade, só quer chamar atenção. Muitas vezes, depois de receber alguma resposta, o solitário passa a viver secretamente entre os seus fãs, porque por um segundo você notou que ele existe, e isso se torna um evento de extrema felicidade para ele.

O terceiro é o **hater surfista**. O lance dele é odiar, mesmo sem saber quem ele odeia e o porquê. O surfista, como o nome sugere, gosta de pegar onda na esculhambação dos outros e odiar por tabela. Se um xinga, ele xinga junto. Se rola barraco, ele entra no meio. Esse é um hater de profissão, que adora se enturmar com os outros dois tipos de haters para talvez conseguir vida em algum joguinho do Facebook.

Por falar nisso, eu me recordei de uma história bem curiosa na minha vida. Vou chamar de...

Mamãe boladona

Dia desses eu estava na sala de espera do dentista, obviamente em namoro com o meu celular, quando entrou uma mulher com a filha. Deixei o meu aparelhinho de lado, porque a menina era uma gracinha, sorria pra mim o tempo todo, e

sem filtro

eu tenho um negócio legal com crianças, elas me adoram e eu adoro elas (talvez por causa do meu tamanho, né?). Comecei a brincar com a menininha enquanto esperava a minha vez de ser atendida. O lance era que a mãe dela me observava de um jeito meio estranho. Até pensei que tinha falado alguma besteira, eu e minha boca grande, mas não, estava tudo sussa com a garotinha até ali. Porém a mãe continuava me perseguindo com os olhos. Era um olhar intrigante, dava um pouco de receio até.

Bem, fui ficando quieta, mas a criança gostou de mim e desembestou a falar comigo, e eu não podia dizer para ela:

— Lindinha, melhor ficarmos por aqui, pois acho que a sua mãe tá meio a fim de pegar a broca do dentista e furar os meus dois olhos, sei lá.

Até que chegou uma hora em que a mulher chamou a atenção da filha, mandou ela ficar quieta e lançou a seguinte frase pra mim:

— EU SEI O QUE VOCÊ FAZ E NÃO GOSTO DA QUANTIDADE DE PALAVRÕES QUE VOCÊ FALA EM SEUS VÍDEOS. JÁ ATÉ DEIXEI COMENTÁRIO LÁ NA SUA PÁGINA. VOCÊ DEVIA TER VERGONHA!

Na boa, eu podia ter respondido de outra maneira, mas tudo o que eu fiz foi sorrir e dizer que aquele era o meu único trabalho e o meu jeito de expressar minhas opiniões. Porque a última coisa que eu penso é em ofender as pessoas (que isso fique bem claro).

A mulher não disse nada. Apenas continuou me olhando tão friamente que pensei em telefonar pra minha mãe, a pessoa mais importante da minha vida, e dizer: "Mãe, se eu morrer hoje, não esquece que eu te amo!".

Entrei para a minha consulta e, ao sair, me deparei com as duas ainda na sala de espera. Eu estava mais tensa nesse momento do que quando estava sentada na cadeira de dentista, o que é, para alguns, algo como uma cadeira elétrica, de tão apavorante.

A mulher se levantou e eu pensei: "Fodeu, é agora, ela vai cair pra dentro". (Devia ter 1,75m de altura e quatro vezes o meu peso.) Porém, para a minha surpresa, ela se desculpou (não me lembro das palavras exatamente, eu estava muito tensa, MESMO!), porque, afinal, eu estava tratando bem a filha dela e ela achou que eu fui muito elegante pessoalmente, em vez de rebater com alguma grosseria o julgamento que ela me fez. Depois pediu para tirar uma foto com a filha dela. Meio surreal, mas tudo bem, pra quem já estava toda cagada...

Eu fiz que sim. Tiramos a selfie e ela me agradeceu, até disse o nome dela e o da filha. Fui pra casa com aquela história na cabeça e pensando sobre a mudança de compor-

sem filtro

tamento dela depois que a tratei bem, com calma. Lembrei até de uma FRASE MANJADA do Gandhi que diz: "Olho por olho e o mundo acabará cego".

Cheguei em casa e procurei o primeiro nome dela na internet. Havia várias pessoas, então fui pela imagem do perfil, até que achei. Ela realmente interagia nos comentários, ao menos uma dúzia deles me chamava de várias coisas. Mas só o que me passava pela cabeça era que agora ela tinha uma selfie nossa, eu, ela e a filha, só porque não rebati, fui educada. Chega a ser engraçado, não é?

Por isso, faço questão de tratar os meus "monstrinhos" com um pouco de afeto e leite desnatado, sempre.

Mas o que quero dizer é que agradeço a todos os meus queridos haters! Amo vocês!

Seja lá o que façam, acabam compartilhando e visualizando os meus vídeos. Os números sobem do mesmo jeito, os anúncios continuam sendo veiculados. Não tem distinção de quem está clicando, conta da mesma maneira. É um caso raro de as pessoas te odiarem pagando seu salário.

Foi com a aparição dos haters que tive a ideia de fazer o quadro "Marcela Responde", um dos maiores sucessos do meu canal! Tudo que chega, bom ou ruim, pode ser aproveitado. Só de falar nisso, já me deu uma vontade danada de respondê-los. Por isso, fiz aqui uma versão bem divertida para o livro!

Marcela responde aos haters

Não perca seu tempo procurando essas arrobas nas redes sociais, os nomes são fictícios.

@RobertusAugustus: Quem é você na fila do pão?

Marcela: Eu sou Marcela Tavares, prazer. Por favor, três pães de sal e um sonho...

@MilaMileUmaNoitesDeAmorComVocê: Dizem que a câmera engorda uma pessoa em 5 kg. No seu caso, diminui a sua altura em quantos centímetros?

Marcela: 17 cm, querida. O mesmo acontece com os anões da Branca de Neve, que, na verdade, são todos jogadores de basquete.

@PepeuLima: Loira, riquinha e burguesa, ainda acha que entende de política. Coxinha irritante! Duvido que já tenha passado fome!

Marcela: Ignorei tudo que você disse e só consigo pensar numa coxinha bem gordurosa, com bastante recheio, catupiry e muito catchup. Abraços!

sem filtro

@HaterCientista: Marcela, você foi ovulada ou criada em laboratório?

Marcela: Criada em laboratório, em uma experiência linda e sábia de Dexter e Didi.

@Diguinho1919: E a testa, como anda?

Marcela: Infelizmente ela ainda não aprendeu a andar. Está imóvel aqui no meu rosto te mandando um beijo.

@UesleiTranstornado: Você é muito chata. Você é a melhor. E eu sou bipolar.

Marcela: Procure um psiquiatra pra cuidar da bipolaridade e continue assistindo aos meus vídeos.

@FarmaceuticoNeurotico: Onde você guarda sua caixinha de clonazepam? Isso resolve ou você vive só dos efeitos colaterais?

Marcela: Fica guardada junto com meus amigos, do lado esquerdo do peito. Acho que é você quem está precisando de algumas gotinhas pelo menos três vezes ao dia.

@HumoristaSemOportunidade: Seu nome não devia ser Marcela, devia ser Magrela.

Marcela: Essa piada realmente é inovadora. Diferentão, criativo, revolucionário.

sem filtro

@Metralhadora: Dá pra você parar de falar enquanto dorme ou sua boca tem vida própria? TRÁ TRÁ TRÁ TRÁ

Marcela: Ela tem vida própria e se chama Jéssica. E não sei se você sabe, mas quando a gente dorme, a gente apaga. Talvez eu fale enquanto durmo, sim, isso explicaria os dias em que acordo com a boca seca.

@CarlinhosduMau: Eu aplaudiria você, mas minhas mãos estão ocupadas me esganando.

Marcela: Faça uma oração para São Brás, ele é o protetor da garganta. E tome muito cuidado, conheço uma pessoa que faleceu engasgada.

@**AMentirosa**: Marcela, eu não te sigo nas redes sociais porque tenho a impressão de que vou ficar pobre que nem você.

Marcela: Não me segue nas redes sociais e está aqui fazendo o quê, trabalho voluntário??? Pra não ficar pobre, ocupe seu tempo trabalhando, já ouviu falar nisso? Beijos, anjo!

@**CaZalberto**: A Marcela Tavares não pode fazer tatuagem na testa porque não existe tinta nem tatuador suficiente no mundo.

Marcela: Putz, nunca tinha pensado nisso. Obrigada por me alertar, até porque sempre quis fazer uma tatuagem na testa. E o mesmo conselho fica pra você, caso pense em fazer uma tattoo maneiríssima nas bochechas. ;)

Marcela sem filtro pelo mundo

Depois do primeiro vídeo viralizado, vieram o segundo, o terceiro, o quarto, o quinto, e a coisa decolou de vez! Eu não sabia a real proporção que aquilo tinha tomado, nunca fui famosa e tampouco fiz workshop pra isso, só continuava gravando e acompanhando os resultados na minha página.

Algumas semanas depois, comecei a estranhar o número de pessoas me olhando nas ruas. A moça na padaria me reconheceu, o caixa do banco (ao qual eu ainda estou devendo), o cara que vem e marca a luz, o carteiro, o fisiculturista, o garçom, o estudante que passeava uniformizado no shopping tomando sorvete de casquinha, e por aí vai...

É ELA, A MENINA DOS VÍDEOS! A DO OLHO ARREGALADO!

Um amigo me ligou dizendo que mais de DUZENTAS pessoas no Facebook dele tinham compartilhado o último vídeo. Disse que a timeline estava cheia de Marcela, Marcela,

Marcela, uma loucura (tadinho, já devia estar de saco cheio de olhar pra minha cara). Lembro bem quando ele me contou que um dos compartilhamentos era de um cara, amigo de infância dele, que morava em uma comunidade bem humilde. Depois, ele me disse:

— Marcela, você está na mansão e no barraco, e isso é o sonho de qualquer artista! Essa é a ponte mais difícil que existe!

Óbvio que é! Sempre que você faz um projeto, um texto pra teatro, TV, qualquer porra, eles perguntam: "Qual é o público-alvo?". Então, o artista tem que comunicar a um grupo específico, nem sempre por opção, mas porque ele é forçado a direcionar seu trabalho para um segmento. É muito difícil para o artista conseguir falar ao maior número de pessoas possível, não importando a classe social e a faixa etária. Por isso aquela frase me marcou tanto. **"Você está na mansão e no barraco."**

Ainda assim, eu não tinha a noção exata do alcance dos vídeos. Como disse antes, eu não sabia o que era ter vídeos viralizados, ser famosa, nada disso. E, convenhamos, o Brasil é grande pra caramba, né, gente?

Até que um dia acordei com milhares de mensagens alertando sobre um dos meus vídeos (no qual soltei os cachorros na corrupção e na precariedade da saúde no meu estado) ter aparecido no *Manhattan Connection*, programa da Globo News. Como assim? Dei risada, pensei até que era zoeira comigo. Mas logo em seguida (porque sou

sem filtro

EXAGERADAMENTE curiosa) fui procurar para ver o que rolou, e lá estava o meu vídeo no programa. Era real. Foi um choque, foi realmente ali que comecei a perceber que milhões de pessoas estavam vendo os vídeos, inclusive pessoas inseridas na grande mídia.

De certa forma, também foi um sentimento estranho. Tudo nesse período era novo (eu era uma virgem, nesse caso). Lembro de ter visto, depois do efeito *Manhattan*, atores e blogueiros famosos recomendando meus vídeos na internet, me seguindo nas redes, compartilhando. Porém, a ficha só caiu de vez quando eu estava em Joinville para começar a turnê do meu show de stand up (que você vai entender melhor nos próximos capítulos). Alê, uma amiga querida, que era responsável pela minha assessoria de imprensa (aiii, que famosa!), me ligou desesperada e disse:

— MARCELA, PARA TUDO QUE ESTIVER FAZENDO, VOCÊ ESTÁ NO *EL MUNDO*!

— O QUÊ? Deixa de palhaçada, garota! Como assim, eu, pequenininha desse jeito, no maior jornal da Espanha e eu não tô sabendo?

Entrei no Google desesperada para procurar e ler a matéria, e lá estava, bem lindo, o meu nome, com a minha cara estampada no *El Mundo*, com os olhos arregalados (até que tinha ficado bonitinha, mas deveria ter passado mais corretivo). Enfim, eu representava a voz dos descontentes e algumas frases minhas ditas no vídeo estavam destacadas em uma longa matéria sobre a crise econômica e política no

Brasil. Pensei: "MEU IRMÃO, FODEU, vou dominar o mundo... Cheguei à Europa falando de política. Caramba...".

Aí, sim, a ficha caiu, quer dizer, *ainda* está caindo. Uma voz gritada pode ser ouvida muito longe daqui, muito além do que eu poderia imaginar quando liguei a câmera. O Sem Filtro estava correndo não só o Brasil (mansão e favela), mas o mundo. Se bobear, tem até um esquimó, encolhidinho no seu iglu, olhando a minha cara no celular neste exato instante.

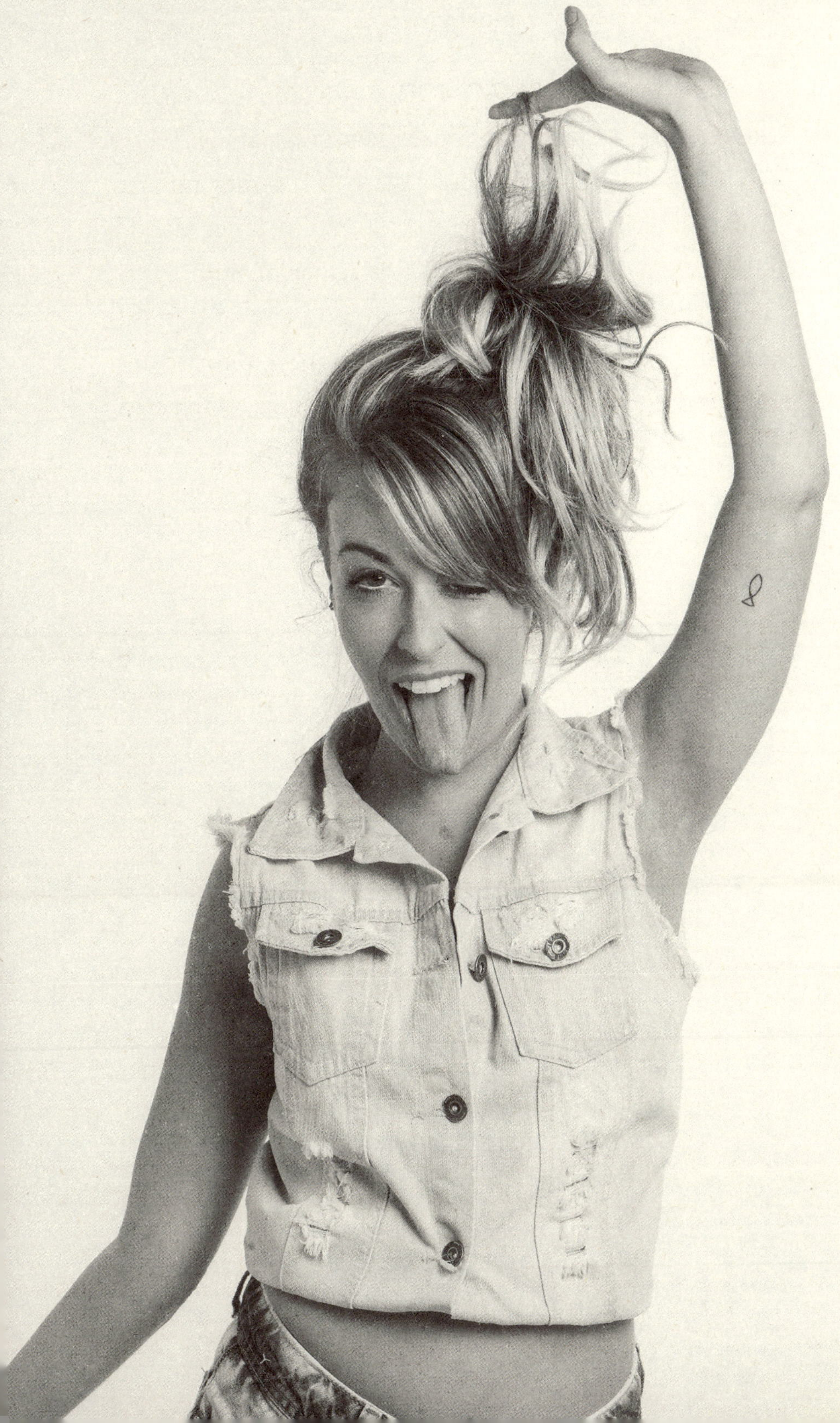

Grandes visualizações, grandes responsabilidades

Por um momento eu pensei: "E agora?". Enquanto a ficha não caía sobre o crescimento meteórico do canal, eu simplesmente gravava, falava o que queria e ponto-final. Não me preocupava com nada, nada mesmo. Sempre fiz questão que fosse do meu jeito escaralhado de ser, gravando do meu celular, com uma escada servindo como tripé, livros e um vidro de amaciante apoiando o celular (caiu agora uma lágrima do olho esquerdo; caso vocês não tenham se sensibilizado, coloquem uma música triste e leiam de novo). Aliás, o meu contrato comigo mesma (que respeitarei para sempre), desde o primeiro vídeo, foi exatamente este: não dever nada a ninguém. Ter a minha liberdade de opinar, brincar, informar do jeito que eu quiser na MINHA página.

Mas aquele lance do jornal espanhol, e do *Manhattan Conection*, deu uma balançada nas pernas, mesmo que eu tentasse negar. Senti pela primeira vez um peso diferente. O peso de comunicar para tanta gente, fato. A Marcelinha de Três Rios, que morou e ganhou coração riostrense da gema e pequeeeeeena invasora do Rio de Janeiro, estava sendo vista e ouvida, reconhecida pelo público por vários vídeos, e com temas e estilos bem diferentes.

Por falar em vídeos diferentes (porque eu falo pra caramba e vocês já sabem), teve um quadro de sucesso que brotou de uma sacanagem, uma zoeira que eu fazia entre amigos quando eles falavam algo errado, então eu não perdoava: consertava na hora os erros de português (zoando mesmo, como uma professora um pouco alterada, um pouquinho amargurada, talvez encalhada e criadora de gatos). Talvez isso seja culpa da minha mãe, ela conta que comecei a falar com sete meses e, com nove, cantava musiquinhas da Xuxa. Mas isso fica para outro momento.

Tirei um dia para pensar sobre aquilo que estava acontecendo. Repetia para mim mesma, diversas vezes, que nada havia mudado, que em time que está ganhando não se mexe. Até porque, gente, vamos raciocinar juntos nesta linha aqui: eu cheguei à Europa seguindo o contrato de liberdade que fiz comigo mesma, lá no início, certo? Cheguei à casa de tantos brasileiros, à mansão e ao barraco, como já disse, seguindo exatamente essa regra básica que criei. Não foi? Então pronto, vamos em frente! Relaxei de novo e aí consegui me encontrar no meio do turbilhão de pensamentos que passavam pela minha cabeça.

sem filtro

Mas agora entendo que muitos devem se apavorar quando isso acontece. É uma nova etapa, e às vezes as pessoas começam até a mudar o tom das palavras, o direcionamento, com uma preocupação maior sobre o que vão apresentar nos vídeos. Contudo (amém), eu me liguei rápido, me posicionei a respeito da situação e percebi que o meu sucesso estava fortemente ligado à minha liberdade. Melhor assim. E não teria como ser diferente.

Lembro que um fã me questionou, certa vez, se eu não ficava preocupada antes de soltar os vídeos, e que devia ser uma responsabilidade enorme. Respondi que ficava preocupada em fazer um conteúdo legal, que fosse coisa boa de falar pra quem assistisse, e que me desse vontade real de fazer. Ele falou mais uma vez sobre o alcance dos vídeos ("ah, mas é muita gente te vendo agora!") e eu fui sincera em responder que a mágica era não olhar para os números. Sério! Quando você começa um canal ou uma página, os contadores estão zerados. Certo? Você começa zerada, o público vai chegando (ou não), mas a realidade do jogo é esta: você sempre inicia do zero. Então, se aquele vídeo que começou zerado, perdido na nuvem, atingiu em cheio milhões de pessoas, pra que mudar depois? Não existe lógica!

Entendo que comunicar para um número tão alto de pessoas é, sim, uma responsabilidade, óbvio que é. Mas não devemos pensar somente nas pessoas que queremos atingir. Você tem que pensar se aquilo de fato atinge você.

Então, fica um conselho: não olhe para os números antes de gravar. Olhe apenas o fundinho da sua consciência, da sua vontade, da sua verdade e do seu conhecimento para encontrar o tema que você realmente quer gravar. Não adianta pegar uma prancha e seguir a mesma onda do campeão mundial de surf, é necessário primeiro saber se você consegue surfar nessa onda e ficar de pé, se manter no mar sem morrer afogado. E, óbvio, se divertir com tudo isso.

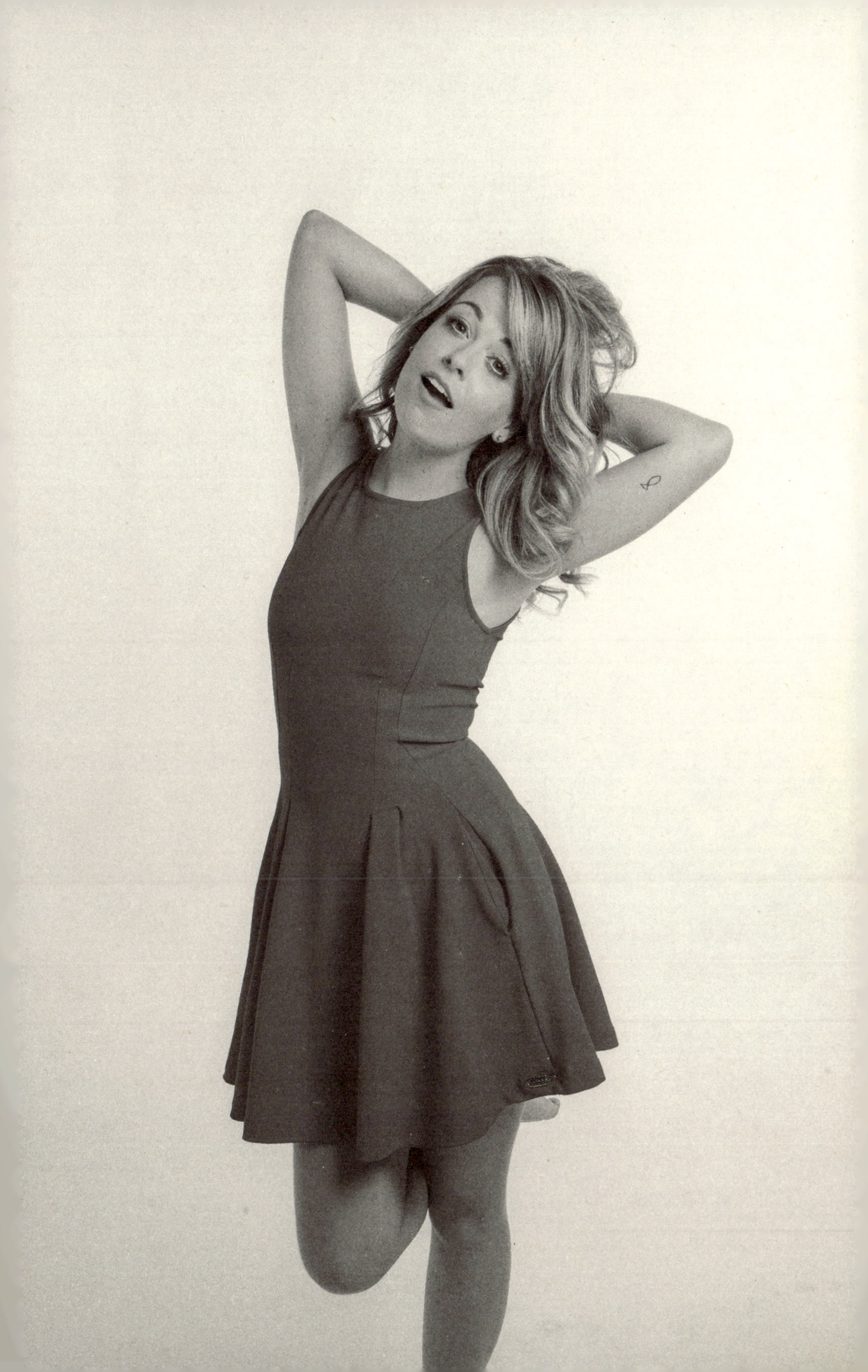

Só gostando um pouco

Uma das melhores coisas quando você se torna conhecida/famosa/alguém-na-fila-do-pão é a oportunidade de esbarrar com pessoas que admiram o seu trabalho e têm boas histórias pra contar. Ah, gente, vamos admitir que um pouquiiiiinho de amor é sempre bem-vindo, né? Porque de ódio e haters o mundo já está cheio (e com o saquinho bem cheio também). Por onde passo, sou recebida com muito carinho, sorrisos e uma frase de espanto com a qual já me acostumei:

— NOSSA, ACHEI QUE VOCÊ ERA MAIOR!

Mas é sério, eu estudei pra ser uma artista, mas ser reconhecida é outro papo. As pessoas chegam até mim com sorrisos enormes, abraços apertados, que quase me quebram (o que não é difícil, com meu 1,54m de altura). Outras chegam um pouco mais tímidas, pedem selfie achando que vou gritar, dar um fora ou humilhá-las perante a sociedade. Gente, eu não sou aquela dos vídeos o tempo todo. Aliás, sou bem calma dentro de casa (eu disse dentro de casa). E com essa de ser reconhecida pelas pessoas, selecionei duas histórias verídicas pra contar pra vocês.

A vovó maneira do táxi

Esta foi recente e eu adorei, pois mostra bem que o meu público pode estar em toda parte e ter qualquer idade.

Dia desses eu estava no ponto de táxi, na frente de um shopping do Rio de Janeiro, quando uma senhora idosa parou atrás de mim na fila. Ela estava carregando duas bolsas que aparentavam estar pesadas. Falei que ela podia passar à minha frente, que eu não tinha pressa, mas ela não aceitou.

— Nada disso, menina. Pode vir algum maluco aí pra te perturbar. Que nem minha neta, que vive te xingando lá em casa.

— Me xingando?? Oh, Jesus, por quê?

Ela então contou que a neta é fã da banda que canta brega pop (aquela do primeiro vídeo viralizado), e que, desde que eu soltei o vídeo falando da banda, ela acompanha tudo que eu faço, só pra falar mal. Foi assim, por curiosidade, ao ver a neta dando chilique a cada novo vídeo, que ela resolveu se aventurar pela minha página.

sem filtro

— Comprei um telefone novo com internet pra acompanhar a geração de vocês, e com muito custo eu aprendi a usar. Agora ninguém segura esta velha aqui!

Eu não sabia se ria ou se nutria o sentimento de espanto, mas confesso que ri, e muito alto.

Resultado: a vovó adorou os vídeos, assistiu a todos e, segundo ela, gargalhou quase ao ponto de ir ao banheiro mais de uma vez. Disse também que depois chamou a neta de maluca, que ela devia parar de jogar energia negativa na moça do olhão verde. E eu fiquei amando ela. Perguntei para onde ela ia, e nossa rota era parecida. Rachamos o táxi e morri de rir com os segredinhos cabulosos que ela contou sobre a neta revoltada.

Interessante ter sido amada e odiada por pessoas diferentes dentro da mesma casa. Pensei bastante sobre isso. A análise individual de cada um, a maneira de enxergar o mundo e receber informações, tudo pode ser absurdamente diferente. Não quero conhecer a netinha revoltada da vovó, não mesmo, mas ela me pareceu ser uma mulher incrível.

Inclusive, se a senhora estiver lendo este livro, vó, vamos marcar uma night.

O detetive apaixonado

O cara me mandava, sei lá, umas cinquenta mensagens por dia. E-mail, Facebook, Twitter, a porra toda. Até o dia em que ele me ligou. "Oi, Marcela, sou Augusto Antônio Psicótico (inventei o nome, tá?), sou seu fã e consegui o seu telefone."

Na primeira vez eu desliguei, mas na segunda perguntei o que ele queria. Ele disse que me amava e que queria falar mais comigo, que viria para o Rio me ver (vai vendo o nível da loucura das pessoas). Respondi que ele tinha começado mal, pois nada dá o direito ao fã (ou qualquer pessoa que seja) de entrar na vida privada do artista. Perseguir, rastrear, conseguir número de telefone, arrancar cabelo, mandar fotos de piu piu duro (ou mole), essas coisas (pra quê, gente?).

É preciso apreciar o trabalho, sim, mas entendendo que aquela pessoa é só uma pessoa! Que vai ao banheiro, tem dor de cabeça, compromissos, manias, problemas, uma vida paralela normal. Imagina se, da noite para o dia, pessoas aleatórias começarem a ligar para o seu celular dizendo que te amam, e que você não os conhece, mas que agora elas têm o seu telefone particular. Estranho, né?

Perguntei como ele conseguiu meu número e ele disse que era um "segredo muito sagrado" (nessa hora eu ri exageradamente). Desliguei o telefone mais uma vez e fui pesquisar no Facebook o nome do cara. Lá estava ele, casado, pai de dois filhos, morador do interior de São Paulo. O cara já tinha mandado quinhentas mensagens (confesso que às vezes não dou conta de ler tudo, ainda mais viajando pelo Brasil com o show). Mas estava lá, todo derretido. Fez

sem filtro

um verdadeiro diário aberto da vida dele nas mensagens, e em cada uma vinha uma lista infinita de lamentações sobre o casamento, os filhos, o pai, a sogra, a cidade e o escambau. No final, ele sempre dizia que, se não fosse por mim, estaria muito pior, pois o melhor momento do dia era quando assistia aos meus vídeos.

    Pensei bastante se respondia ou não, porque existem muitos psicopatas neste mundo (eu já vi um monte assim na TV e no cinema, no jornal também, e eles sempre matam lentamente a mocinha), e aquilo, mais uma vez, era novo para mim. Mas fui lá, foda-se, respondi dizendo que tudo se resolve, que não é fugindo da luta que a gente vence (clichezão da porra), e que de repente a mulher dele, os filhos, a sogra, o pai, a cidade também poderiam estar tão infelizes quanto ele. E que a mudança que a gente espera deve partir de dentro para fora (tô mais profunda que o Osho agora, nem eu tô me entendendo). Eu não podia mudar a vida dele, ele *é que* deveria fazer isso. Se eu levanto o teu astral, maravilha! Você não me ama, ama o fato de que eu invado o teu momento cinza e te dou um pouco de cor. Agora pegue isso, essa alegria, e tente alegrar os que estão à sua volta.

    Pedi pra ele não me ligar mais, e disse que poderia mandar as mensagens por escrito no Facebook mesmo, senão, mesmo sendo fã, eu teria que denunciá-lo. O cara não respondeu. Tempos depois, mandou um vídeo dele e da esposa assistindo ao meu canal no computador. O cara era detetive particular, investigadorzão mesmo (coisa de cinema, bizarro) e, segundo ele, foi a sacudida daquela minha última mensagem que o ajudou a despertar para a vida.

Estranho, não sou terapeuta licenciada, nem guru de sabedoria ancestral, muito menos biscoito chinês da sorte, mas o resultado prático da sacudida verbal foi bem interessante.

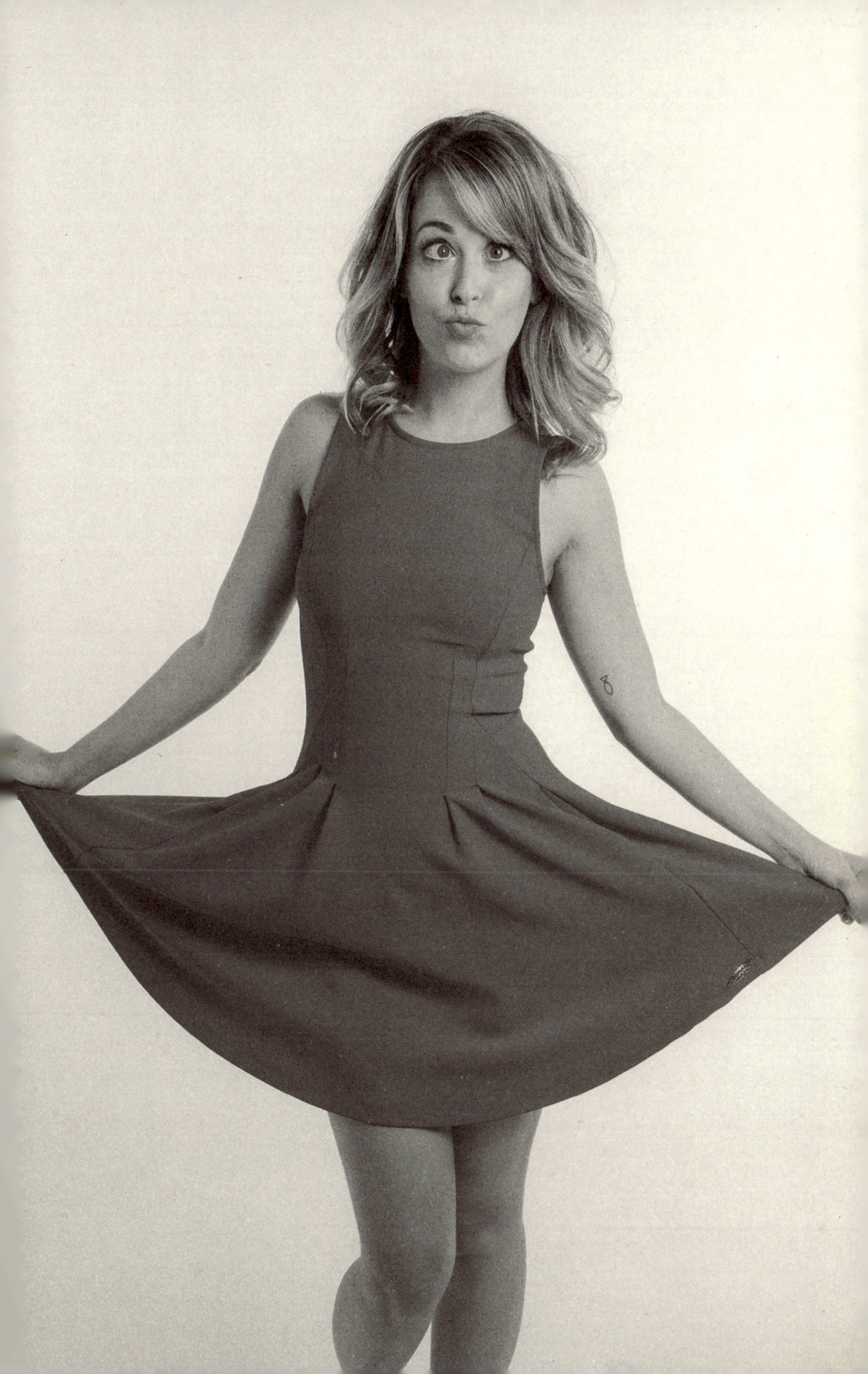

Muito mais que um sonho de padaria

Não gosto desse papo de que sonhador precisa parar de viajar e viver com os pés no chão. Acho que funciona melhor assim: metade sonho (porque é preciso sonhar com o que você quer conquistar) e metade realização (que é aquele momento de gritar "PUTA MERDA, EU SOU UM CAMPEÃO por ter conseguido alcançar minhas metas"). E digo mais, não basta pagar o padeiro para conquistar um sonho, a coisa vai muito além disso (mentira, é só pagar, sim, mas me deixa filosofar).

Na minha humilde visão, quando uma criança disser que quer ser astronauta, deixe ela falar. Vá ensinando os caminhos que um astronauta tem que seguir, o passo a passo da profissão, até chegar lá (à Lua, a Marte, esses negócios de galáxia), aconselhe, sempre mostre o lado bom e o ruim da coisa.

Não tem mistério, não, gente! O que você faz é conduzir bem o seu sonho, da maneira correta, para que isso se transforme em realidade. Cortar o sonho, a raiz, a tua motivação, para viver só uma realidade que muitas vezes não é a que você gostaria que fosse, pode te foder o juízo!

Se eu tivesse um filho e ele dissesse para mim que quer ser artista, eu não brigaria com ele (será?!), claro que não, nem mandaria ser engenheiro, contador, economista ou advogado porque é mais seguro. Até porque é tudo relativo. Em qualquer profissão, você pode dar com a cara na parede. Não desacredite de você, não mate a porra do seu sonho. Porque, graças aos céus, eu tive uma supermãe divinamente incrível que me permitiu sonhar, acreditou em mim, e todas as vezes em que eu estava frustrada por não conseguir trabalho, por não ter passado em algum teste, ela sempre dizia: "Você chegou até aqui pra quê, pra desistir? Não seja fraca, uma hora vai dar certo, e vai dar certo na hora certa". Ela tinha razão, está dando certo, porque eu acreditei em mim, porque ela não interrompeu meu sonho, porque fui atrás, trabalhei pra que ele virasse realidade (agora só me falta colher os frutos e comprar uma ilha na Polinésia Francesa pra convidar todos os meus leitores pra uma festa, que tal?).

Sonhar é necessário, galera, e é o primeiro grande passo pra conquistar as realizações. Vai por mim.

NÃO SEJA BURRO!

É escrotamente bom quando uma coisa inesperada surpreende positivamente esta humilde faladeira que vos escreve. (Imaginem que estou escrevendo com uma caneta tinteiro enorme, ao lado de uma lareira, trajando um belo e branco roupão, tomando meu café com duas gotas de adoçante, e me acompanham, mansamente deitados no chão, um pequeno papagaio de cabeça amarela e dois cães da raça São Bernardo. Agora, após a montagem desse cenário, vamos aos fatos.)

Eu tinha mania de bancar a professora com meus amigos, zoava quando eles falavam ou escreviam alguma coisa errada. Meus professores de português me amavam incondicionalmente (enquanto os de matemática queriam a minha cabeça). Sempre fui boa em me comunicar (lógico, falando sem parar desse jeito, que nem uma matraca, eu tinha mais é que me comunicar mesmo), e com isso veio o interesse em saber sempre mais e desenvolver meu domínio sobre o idioma. Ficava até meio chata comigo, me cobrava muito, não queria errar. Falar e escrever errado é feio, INFERNO, as pessoas não te corrigem porque ficam com vergonha, com pena, mas, quando você vai embora, elas riem de você. Não estou exagerando. Acho que, principalmente para quem se comunica, é necessário um português bem afiado.

Então, brincando, brincando, a gente vai mostrando a forma correta para os aluninhos espertos que deram um jeitinho de escapar das aulas de português no colégio. Assim, com essa mania de professora neurótica, achei legal brincar no meu canal com a importância para o cidadão de saber manusear sua caixa de ferramentas verbal. De se comunicar bem para conseguir qualquer coisa na vida. Mas com muito humor, lógico.

Sabe qual é o lance que me deixa mais intrigada? Quando você fala de pessoas que se expressam errado, vem logo à mente o analfabeto. Não é? Mas, gente, do pobre do analfabeto, uma pessoa que por mil motivos cruéis da vida não teve condições de estudar, eu jamais cobraria o melhor do dicionário. Eu, hein! Acho engraçado é quando um graduado, uma pessoa que leu mil livros, que se acha cult, estudou pra caramba ou ainda é estudante em nível avançado, comete esse tipo de cagada com o próprio idioma! Sinal claaaaaro de que faltou a algumas aulinhas básicas de português, né, meu anjo? Vamos combinar...

sem filtro

Continuando, eu já estava com um bom número de inscritos no meu canal. Depois de viralizar alguns vídeos, soltei o quadro "Não seja burro" e a repercussão foi boa no YouTube, porém nada bombástica. Apenas a figura de uma professora nervosa, levemente engraçada, que já não aguenta mais tantos erros dos alunos, e que de alguma maneira ainda tenta aparecer bela e sexy na tela, para prender a atenção dos alunos dispersos (usando duas laranjas no sutiã pra aumentar os peitinhos dela, tadinha). Inclusive, teve um mimimi (pra variar) de alguns haters dizendo que eu estava sexualizando e ridicularizando a figura da pobre professora, um absurdo! Ela trabalha muito pra ganhar pouco, e ainda aparece uma vlogueirinha e desmoraliza sua imagem desse jeito? E blá blá blá, quanta gente chata! Mas no final das contas a grande virada ocorreu quando os professores (que não se ofenderam) começaram a divulgar o vídeo em suas páginas pessoais, me elogiando. Senti uma gostosa lavada de alma com água morna. A coisa explodiu no Facebook também (sempre o tio Zuck na jogada), dessa vez sem que eu tivesse colocado a mão. As pessoas simplesmente pegaram o vídeo lá do meu canal e jogaram em seus perfis nas redes sociais. Pronto, mais um vídeo viralizado, mais um milhão para a minha plantação (e, mais uma vez, sem ganhar um centavo).

Pode parecer loucura um vídeo que corrige os erros de português da galera ter tantos acessos assim, mas eu acho que o segredo, nesse caso, foi a forma de brincar com a situação. A fórmula de não se levar tão a sério sempre funciona na hora de aprofundar personagens de comédia. E assim, a coisa foi fluindo até se tornar mais um quadro fixo do canal, um sucesso que nada tem a ver com fofocas, duelo com celebridades, política e polêmica.

O "Não seja burro" venceu pela comédia, sem esquecer de alertar o que realmente importa.

concerteza

em fim

Política que nos pariu

Acho engraçado quando alguém vem dizer que eu não posso opinar sobre política nos meus vídeos porque "não sou especialista no assunto", mas em seguida vem a mesma pessoa dizer que qualquer político sem instrução mínima pode comandar uma nação, e que achar o contrário disso é preconceito da elite. Pelo amor de Deus! Linguagem técnica, contratos bilionários, números e mais números, tratados internacionais, conhecimento de leis, aprofundamento pleno na Constituição Federal! Eu acho que o presidente ou qualquer outro político com poder direto de interferir na minha vida deve ter, pelo menos, o mínimo de conhecimento para saber o que está assinando e para onde o meu dinheiro está indo!

Exemplo bem bobinho: você colocaria um bom guitarrista para comandar todas as operações econômicas da sua empresa? Só se ele fosse o melhor guitarrista/economista/empresário do mundo, né? Outro exemplo: você pediria para extrair um dente cariado no açougue e pediria meio quilo de alcatra no seu dentista? Óbvio que não, gente! Cada operação, a mais comum que seja, exige algum conhecimento, e não foi eu quem escreveu o mundo dessa maneira, isso começou lá no início da organização das cidades e da sociedade como um todo (puta merda, lá vou eu de pensadora agora...). Bom, então eu não posso entregar meus dentes aos cuidados do senhor açougueiro, mas tenho o dever *mimizento* de concordar com os intelectualoides, e dizer sorrindo que podemos, sim, entregar UM PAÍS INTEIRO para qualquer um que tenha um discurso bonitinho governar por intuição??? INFEEERNO! E depois a louca sou eu, vê se pode!

Às vezes eu sinto que a missão de muitos "pensadores" e "entendidos" em política é apenas confundir a galera, não deixar a cabeça da gente buscar clareza para perceber a verdade, pois muitos desses formadores de opinião, engajados no assunto, recebem um benefício qualquer para seguir determinada cartilha de partido ao pé da letra. Não é uma coisa fácil de digerir, mas é o que acontece: uma boa parte das pessoas se corrompe por duas caixas de bala e uma carrocinha de pipoca.

Olhar para a política brasileira, hoje, é tentar ver o fundo de uma lagoa negra como a noite. Não existe uma possibilidade de visão clara, tudo está no escuro, profundo e oculto.

sem filtro

O que vemos nos noticiários é quase nada. E a imprensa ainda leva pedrada por divulgar apenas 10% do que realmente deve acontecer nos bastidores.

Espero realmente que daqui a dez anos eu possa rir com vocês deste capítulo, e reconhecer que as minhas palavras foram somente uma recordação ruim do passado. Mas o que eu sinto, olhando a política nacional como um quadro pendurado na sala de estar, é repulsa. Quando vejo os brasileiros se agredindo na internet pra defender políticos milionários, bilionários, que pouco se importam com o povo, como se estivessem criando (na base do mingauzinho de aveia) bandidos de estimação, eu sinto verdadeiro nojo!

Ufa, me deixa pegar um ar porque eu estava digitando e berrando aqui, de verdade, esse assunto me deixa com ranço... A coisa veio forte agora! A política me estressa demais, tipo trânsito.

Me desculpa, gente, mas aqui fica difícil fazer piada. No próximo eu conto as melhores do Ari To... (mentira, eu não posso brincar com negócio de direitos autorais, e sempre me esqueço disso). Porque nós somos roubados todos os dias, desde uma comprinha boba no mercado, um remédio na farmácia, até as contas e impostos que a gente se lasca pra pagar todos os meses! Porque se o dinheiro que nós pagamos não volta em forma de melhorias para a cidade, para o estado, para o país, para o cacete que for, então o meu dinheiro serviu pra quê? Ou melhor: pra quem?! Então eu só sirvo para pagar, votar (obrigada) no único país do mundo que trabalha com urna eletrônica e ainda tenho que calar a minha santa boquinha? Tenha a santa paciência.

Política é assunto para todo mundo, sim, todo mundo, mas o primeiro pensamento da pessoa deve ser: "O que é melhor para o meu país, não para o meu ego". Não é ringue de luta, nem campo de futebol, é o nosso futuro! Não é uma briga para ter razão, é um debate sobre o que você vai deixar para os filhos dos seus filhos!

Pensa sozinho, vai, reflete aí. Agora tente não aceitar qualquer coisa que enfiam no seu cérebro como sendo a única verdade do mundo e, pelo amor de Deus, não permita que um político te faça mais de trouxa! Não permaneça calado, não ache que todos são iguais e que por isso a política fica como está. Não deixe que ninguém, eu disse ninguém, tente amordaçar as suas opiniões. Seja forte. Pense na política, sim, se interesse por ela, mesmo não sendo o tal especialista. Busque as informações sobre os projetos em andamento, fiscalize se os caras que levaram o seu voto estão fazendo o trabalho deles direitinho, se estão envolvidos na maracutaia, se têm ficha criminal. Não se contente e nem se omita mais. Assim, quem sabe, a gente possa rir ou rasgar este capítulo aqui um dia. Porque, neste momento, a nossa política só consegue mesmo é fazer chorar. E muito.

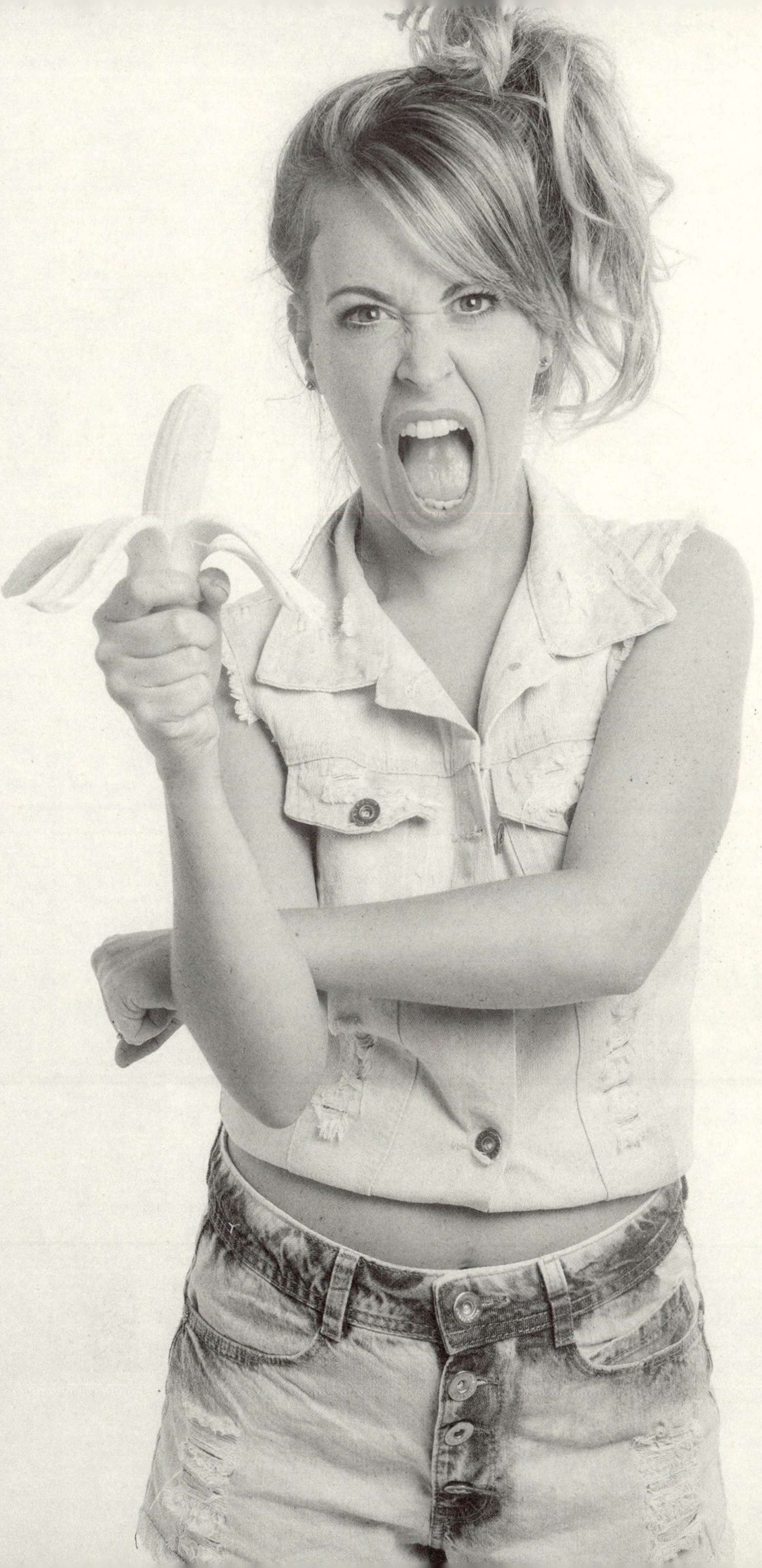

Polêmica?
Com quem?
Onde?

Chamaremos este episódio de "o caso da cantora rebolativa", pois eu não quero levar processo e ter que dar gorjeta a Satanás justo agora que tem gente chique querendo assinar minha carteira de trabalho. Então, vamos bolar uma historinha aqui, baseada em fatos reais, e eu vou pedir aos queridíssimos e mais ou menos um pouco muito amados leitores que imaginem tudo o que for narrado como uma grande cena, rolando solta na tela da sua imaginação (huumm, que bonito isso).

Eu estava trabalhando como repórter, entrevistando celebridades em um rodeio no Texas, EUA, quando fui informada de que teria de correr até o camarim de Manah Brown para uma entrevista após o show. Eu adorei a possibilidade de entrevistar Manah Brown, lógico! Em todos os lugares tocava a música dessa mulher, fosse clube, boate, bar da esquina ou radinho de pilha em casa. Então, de tanto ouvir tocar, eu até que criei um certo grau de simpatia pelo trabalho dela. As músicas não tinham nada de extraordinário, mas sabe aquelas musiquinhas ordinárias que, com barulhinho dançante, querendo ou não, você acaba cantando sozinho no chuveiro sem perceber e tem vontade de se matar depois? É um pouco mais ou menos isso aí mesmo.

Me deixa continuar neste parágrafo, porque antes da Manah Brown eu entrevistei a diva dos rodeios, Sheeley Milk, e ela se mostrou uma pessoa incrível, simpática, gente boa toda vida e com um astral lá em cima. Isso até elevou minha autoestima para conhecer e entrevistar a outra (pois eu já tinha ouvido falar que ela não costuma receber bem todo mundo). Poxa, gente, se a rainha do rodeio, a musa dos peões, e das famílias texanas todas, com o mundo aos seus pés e um saco de dinheiro maior que o do Papai Noel me tratou daquele jeito tão legal, não seria difícil entrevistar Manah. Ou seria?

O rodeio seguia empolgado, e Billy Franco, vaqueiro experiente, se manteve inteiro por vinte e três segundos sobre o lombo do touro El Matador, sagrando-se campeão regional pela quarta vez consecutiva.

Fim do espetáculo dos touros, início dos números musicais. Manah entrou nitidamente indisposta, cantou suas músicas de sucesso (que não eram muitas, então apelou para músicas de sucesso de outros artistas mais famosos),

sem filtro

rebolou bastante suas nádegas, e em seguida se retirou a caminho do camarim. Eu, alertada pela minha equipe de produção, corria para tentar chegar ao camarim da cantora, no meio daquela massa compacta de gente, que quase não me deixava andar. Imagina eu, deste tamanho, no meio de milhares de pessoas eufóricas berrando e dançando country music?? Um pesadelo! Mas foi assim, bem assim que rolou. A onda, aquele mar de gente eufórica usando chapéu e calça de couro, ia me arrastando para um lado e para outro, e eu tentando chegar ao camarim da cantora, berrando SOCORRO!!! e me espremendo pra sair dali. Depois de muito esforço, ainda viva, avistei um segurança e ele me salvou, então me mostrou onde o resto da equipe estava, e a direção dos camarins.

Agora, sim, respira fundo, vamos lá trabalhar direito mais uma vez, fazer bonito. Calma, Marcela, você precisa desse dinheiro, lembre-se disso, você precisa pagar a conta de telefone (PUTZZZ, A CONTA DE TELEFONE). Sorria e faça perguntas legais, seja simpática, mostre interesse. Porra, simpatia demais também não dá, fica forçado. Será que aquela costela na brasa com molho barbecue deixou sujeira no meu dente? Não, graças a Deus, está limpinho, tudo bom. Quando eu sair daqui vou raspar as axilas direito, ontem e hoje foi muita correria, não deu... Oi, querido, pode falar!!

— Então, Marcela, a Manah Brow não quer mais te dar a entrevista, não. Pode sair.

— Como assim, garoto?!

— Assim, ué. Ela sabe quem você é, parece que já assistiu alguns vídeos do teu canal, e não quer mais falar com você. Pronto.

Olha como a vida é, né, gente? Eu estava famosa demais no Texas. Eu jamais imaginaria que a tal cantora seguisse o meu canal, e muito menos que fosse minha hater! Olha que linda! Talvez ela tenha ficado com medo de ter que pensar sem seus roteiros prontos, e de dessa vez ter que falar com a boca e não com o bumbum, não sei. Mas dói, é uma sensação estranha, sim, porque a recusa nunca é doce. Ao mesmo tempo, me deu uma puta vontade de rir, (HAHAHAHAHAHAHAHAHAHAHAHAHA) e uma espécie de satisfação pessoal brotava por dentro. Eu realmente estava muito mais famosa do que imaginava, e, ao mesmo tempo que isso era bom, também reservava seus momentos mais amargos.

Porém, essa história me guiou melhor sobre a personalidade frágil de Manah Brown, que largou os amigos de infância, mudou de nome, fez três milhões, quatrocentas e quinze mil cirurgias plásticas, abandonou a cidadezinha de origem e hoje nem é capaz de dar bom dia ao moço da porteira.

Ao sair do camarim, com a graça de Deus pai todo-poderoso, havia Wi-Fi no local (porque se dependesse do meu 3G...). Fiz um post na minha fanpage de forma educada e ligeiramente debochada, informando meus fiéis (outros nem tão fiéis assim) seguidores o acontecido, até porque eles estavam esperando por isso, muitos deles eram fãs de Manah

sem filtro

Brown. Em dez minutos, o post tinha TRINTA MIL LIKES, e a cada segundo, brotavam comentários de pessoas que também haviam sido desprezadas por Manah. Vou confessar que achei o máximo e, no final, estava até me divertindo com tudo isso.

Eu estava hospedada num sítio, tipo Nárnia, onde não existia a possibilidade do celular ter uma gota de sinal.

No dia seguinte, acordei com a produção do supervento na varanda, todos com cara de quem viu a menina do exorcista e eles queriam falar comigo. Não pense que a menina do exorcista era eu. Se bem que acordo tão descabelada quanto ela.

Enfim... Escovei os dentes, peguei meu café com duas gotas de adoçante e fui lá saber o que eles queriam comigo tão cedo. Ahhh, eu sempre acordo de bom humor, desde que eu acorde sozinha e não seja acordada por ninguém. Aí meu irmão... FODEU.

Eles disseram que o empresário de Manah Brown entrou em contato com eles, solicitando que eu apagasse o post que havia feito na noite anterior. ÓBVIO, COMO EU NÃO TINHA PENSADO NISSO?! Precisamos manter a fama de "fofa" da cantora famosa, para que os coitados dos fãs iludidos continuem idolatrando e consumindo o trabalho da "artista".

Na hora eu gritei, chorei, saí correndo, joguei café no chão. Como assim, querem me censurar? Só falei a verdade. NÃO VOU APAGAR!, eu disse, com sangue nos olhos, tomada por uma ira que não sentia desde que minha mãe doou meus CDs de Sandy & Junior. A fanpage é minha, a opinião é minha, não vou apagar, porque ninguém me manda, continuei.

Até que o superempresário de Manah ameaçou processar o evento. Por quê? Por causa de um post no Facebook? HAHAHAHA. Mais uma vez, gargalhei mais que vilã de novela mexicana. Eles jogaram tão baixo porque, como Manah era minha fiel seguidora, ela sabia que, se me ameaçasse, eu ia cagar, então eles ameaçaram toda a equipe e eu não queria prejudicar ninguém. A briga era entre mim e ela.

Contra a minha vontade, derramando lágrimas de ódio dos meus olhos superverdes, apaguei o post, que no momento estava com TREZENTOS MIL LIKES.

Nem todo mundo admira a verdade. Nem todo mundo é real. Nem todo mundo vai amar você por ser original. Nem todo mundo é todo mundo como você gostaria que fosse. Sacou?

Ainda não sei se voltarei a trabalhar em outro rodeio daqueles, preciso pensar melhor. Tenho pena dos touros, pobrezinhos. E das pessoas cantando no ouvido deles.

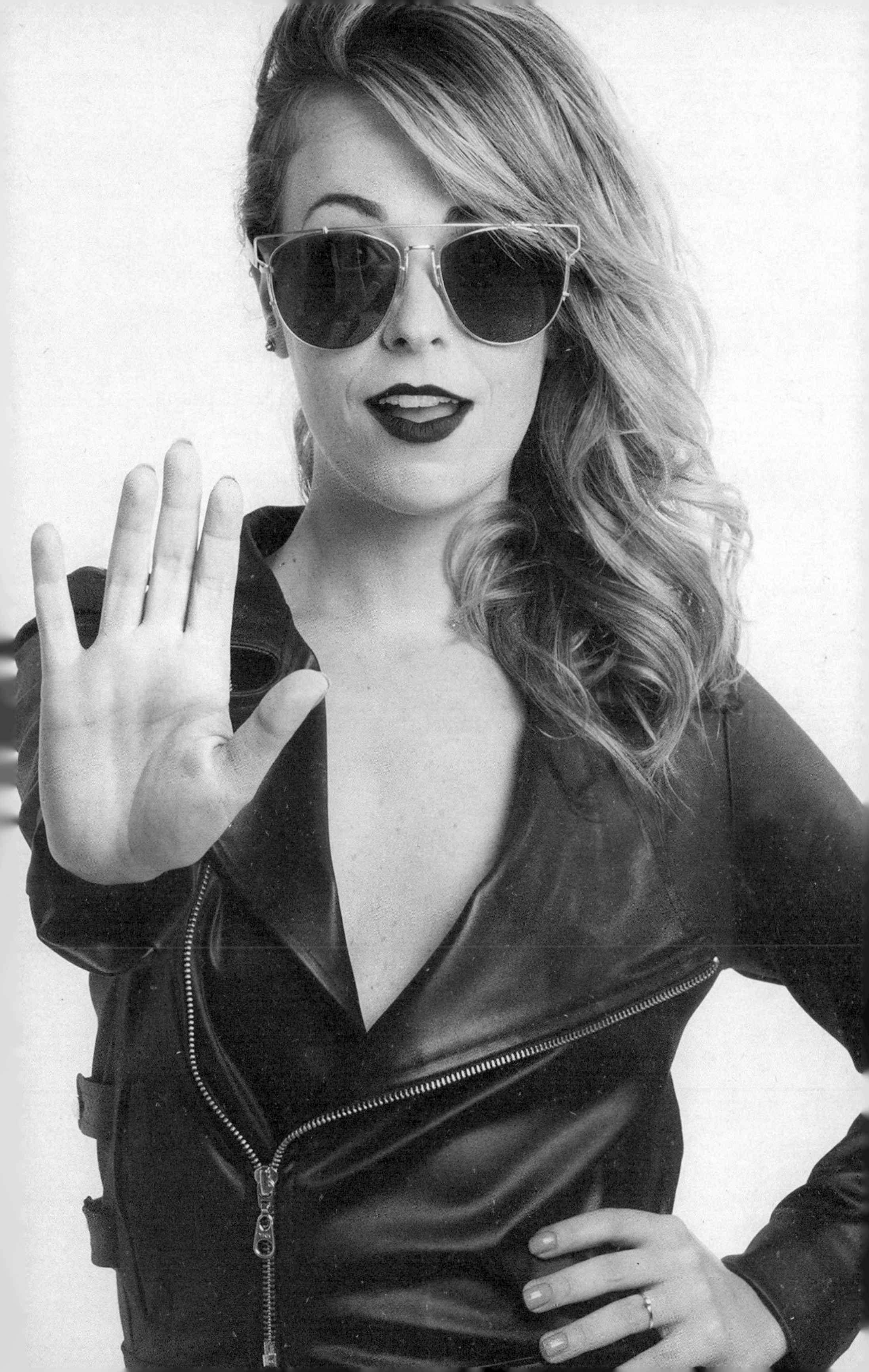

Bonitinha, mas fala tanto palavrão

Um fato que eu acho interessante destacar, inclusive porque acontece com muita frequência na minha página, é que sempre sou questionada/atacada/censurada/fica com Deus, por falar tanto palavrão nos meus vídeos. Mas, gente, parem pra pensar: alguma vez eu já disse paralelepípedo, inconstitucionalissimamente, otorrinolaringologista? Acho que não, né? Pode procurar lá nos vídeos. Pra você, o que é o palavrão? Uma palavra feia? Uma coisa de baixo nível? Uma afronta aos ouvidos mais conservadores? Tá, então vou te falar uma coisa, os documentos que mais foderam a humanidade não foram escritos com palavrões. Os discursos para enganar as pessoas, roubar, trair, matar, excluir nunca foram arquitetados e concebidos através de palavrões. Tudo é resumido de uma forma bonita, com muito respeito e amor, só que não. O palavrão, quando bem usado, é ponto de exclamação, é vírgula, não é ofensivo. Tudo é a forma que você emprega a palavra, e a emoção que você sente enquanto fala aquilo. Na verdade, qualquer palavra, palavrinha ou palavrão é fria, é igual, o que difere o sentido das palavras é a emoção e a forma de dizê-las. O caráter que você deposita por meio delas. Sendo um pouco mais científica e intelectual, posso também citar a síndrome de Tourette (toda vez que eu escuto esse nome imagino um monte de meninas de biquíni dançando atrás de um pequeeeno touro). Não vou ficar aqui explicando que doença é essa, por favor, vai lá na Wikipédia. Mas resumindo: de 10% a 20% dos pacientes diagnosticados com Tourrete ficam com uma característica um pouco exótica, falam palavrão descontroladamente. Não é o meu caso, não tenho Tourette e não acho que todo mundo que fala palavrão é doente. Vamos entender o palavrão em uma pequena aula de utilização adequada:

A) Você vem andando do mercadinho com três sacolas de promoções quando de repente um pivete corre e leva sua carteira. Ele foge, e você grita LADRÃO FILHO DA PUTA!!

B) Você está indo para uma reunião de trabalho e um pombo resolve cagar em sua camisa. Você grita MERDA!!

C) Quando o seu vizinho liga a furadeira às sete da manhã te despertando de um sonho lindo, maravilhoso, tão profundo quanto o da Bela Adormecida quando espetou o dedo na roca de fiar, e então você libera aquele grito que vem lá da alma PUTA QUE O PARIU!!

D) Todas as opções acima.

sem filtro

Vai me dizer que isso não é libertador?? A interpretação do palavrão está dentro da sua cabecinha poluída, que enche minha timeline de mimimi quando eu falo nos meus vídeos. Não é por que eu falo palavrão que eu não sou uma pessoa legal. Isso não quer dizer também que eu já acorde falando palavrão. E eu também não vou deixar de soltar os meus palavrões porque um ou outro não curte e faz mimimi nas redes. O palavrão é menos ordinário que muitas palavras bonitas, e esse é o meu jeito de sentir, expressar e liberar a mente para não explodir.

Para finalizar, este capítulo também não faz apologia ao palavrão, ele narra o meu lado, o meu entendimento, e como isso funciona pra mim. Não quero que a pessoa termine de ler este capítulo e saia por aí xingando por qualquer motivo aos quatro cantos do mundo. É apenas uma dica para você absorver e aprender a comentar apenas o que realmente for interessante/inteligente/construtivo. E só mais uma coisa: o palavrão quando é usado no momento certo, pode ser até elegante. E eu, Marcela Tavares, vou continuar falando %@#*&%$@#!:*&%$3@?&$*¨$*&#>>*#&#*&*&#*¨#&*&#(*

CÊ JURA?

A Excelentíssima PresidentA Tavares

Desde que comecei a expressar minhas opiniões sobre política nas redes sociais, as pessoas dizem compulsivamente: "Marcela pra presidente, vou votar em você nas próximas eleições, manda nude!". Inclusive, um partido me convidou a lançar minha candidatura para vereadora.

AHAHAHAHA!

Mas vamos brincar de ser presidente, vamos? Por favor! Eu tenho até o discurso da minha campanha pronto aqui, e sei como falar direitinho. É sério, gente, tá na pontinha da língua, pronto pra sair, querem ver? Então tá, lá vai!

(Vejam aí se vocês votariam em mim e, por favor, leiam ouvindo a minha voz.)

Senhoras e senhores, amigos e amigas, tudo bom, fica com Deus. Eu, Marcela Tavares, na condição de mais ou menos presidente deste país, prometo ao povo brasileiro um desconto de 60% na compra de todo e qualquer chocolate importado, e também na batata fininha que vem na lata e vicia a gente. Prometo dar, gostoso, a cada cidadão, uma bolsa-bombom recheada para os dias em que as mulheres, assim como acontece comigo, estiverem sofrendo muito com a TPM. Essa bolsa também servirá para homens ansiosos, e em depressão, que perderam suas mulheres justamente numa crise de TPM.

Afirmo também que, caso eu seja eleita, a distribuição de Wi-Fi será gratuita e o Tinder não vai sugerir mais que você dê *match* em nenhum psicótico escroto fantasiado de galã e bom menino da mamãe. Assumo ainda, de peito aberto e alma límpida, olho no olho, a responsabilidade de que toda e qualquer jujuba, caramelo, bala de goma, bala de coco, brigadeiro, cocada, pé de moleque, paçoca, pastel de feira, pizza e pirulito terá uma redução de 80% em sua carga tributária, tornando-se assim produtos *complementaaaaares* e obrigatórios na cesta básica do brasileiro. Continuando a vislumbrar esse novo horizonte próspero, de um céu cintilante e esperançoso, prometo distribuir telefones celulares com a melhor conexão possível, para que qualquer cidadão brasileiro que assim desejar possa ver os meus vídeos em todo lugar, e nisso incluo também a casa da sogra, a reunião de trabalho, a aula da faculdade, a ioga, a sessão de crossfit e o banheiro. Aproveito, inclusive, para jurar solenemente que nenhum corrupto será mais tolerado neste país, e uma prisão exclusiva será feita embaixo do pré-sal, a primeira prisão submarina para políticos.

sem filtro

E agora, para encerrar e seguir com o meu livro, peço humildemente o seu voto, na esperança de que juntos poderemos implementaaaar, logo após a eleição, essas maravilhosas medidas sociais que, mais do que aumentar a qualidade de vida do povo, significam um claro avanço no que diz respeito à economia, à gordura no sangue, ao colesterol, ao triglicerídeo, ao sódio e à glicose, amém. Obrigada.

(Aplausos, muitos aplausos!!!)

(O Ministério dos Livros adverte: este discurso não é real, trata-se apenas de uma brincadeira tosca, e sua imagem e reprodução em qualquer veículo de comunicação só pode ser utilizada para causar sorriso, seguido de dores abdominais, vontade de fazer xixi e falência crônica do mau humor.)

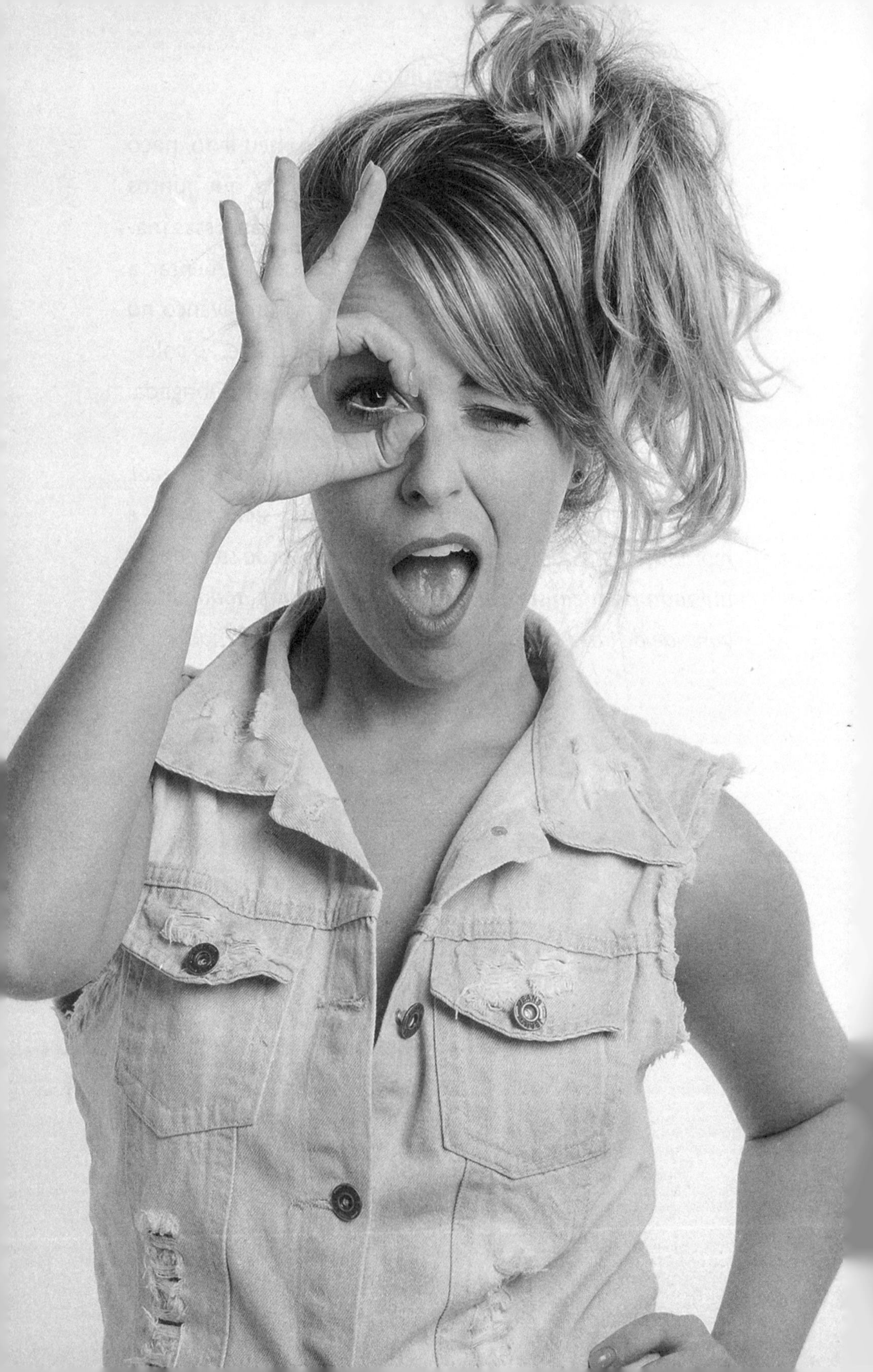

O fantasma do stand up

Está no ar mais um capítulo da novela *Me fodendo pra vencer na vida*, com Marcela Tavares.

Eu praticamente nasci dentro do palco. Comecei a fazer balé com, sei lá, uns cinco anos de idade, logo depois fui fazer aulas de teatro, e também namorei muito atrás das cortinas vermelhas... brincadeira (é verdade, sim). Então não é preciso explicar minha paixão pelos palcos.

Quando terminei a CAL, fiz alguns espetáculos, todos um fracasso; não tinha público, não tinha reconhecimento e, pra variar, não tinha dinheiro (sem dinheiro, o bicho pega!). Fiquei de mal com o teatro por um tempo e segui a vida nas redes sociais. Até que, um dia, Catharina, uma amiga que estudou comigo, me mandou uma mensagem:

CATHARINA

Marcela, você faz stand up?

MARCELA

Não, mas posso fazer (porque sou dessas).

CATHARINA

Então, estou me apresentando num bar, recitando minhas poesias, rolou um stand up hoje e lembrei de você. Quer se apresentar semana que vem?

MARCELA

Claro! Obrigada por se lembrar de mim.

Quando acabou a conversa, pensei: "POR QUE CARALHAS EU ACEITEI, EU NUNCA FIZ ISSO!!!!!".

MARCELA

Johnny, vou fazer stand up semana que vem.

JOHNNY

Como assim, desde quando você faz isso?

MARCELA

Desde a semana que vem. Vem pra cá me ajudar, pelo amor de Deus!!!

sem filtro

Santo Johnny, que, na alegria e na tristeza, na pobreza e na riqueza (que ainda não aconteceu), está ao meu lado, me ajudando em tudo (te amo). Recrutei o meu exército de um homem só e lá fomos nós pensar num texto bom, rápido e funcional. Até porque eu só tinha oito minutos para me apresentar.

Pensa daqui, pensa dali, e nada. Não saía nada!

Os dias passavam, a apresentação estava cada vez mais próxima e não tínhamos texto. Para vocês que ainda não sabem, não faço roteiro para o meu canal (óbvio, né, Marcela?), até porque, se eu tivesse um roteiro para cada vídeo, seria mais fácil escrever o texto do espetáculo. Pensei várias vezes em inventar uma doença, matar uma avó novamente, sustentar uma diarreia vergonhosa, apenas pra não ir. Estava com medo de ser vaiada, de ter um piripaque, de ninguém rir, de um menino passar correndo só pra arremessar um tomate e ir embora.

Até que veio a genial ideia: vamos falar sobre os vídeos, óbvio, é isso que a gente sabe fazer neste momento, e vamos convidar nossos amigos para assistir, além de algumas falsianes.

Essa estratégia foi uma jogada de mestre, sinto muito orgulho dela. Os amigos foram convocados porque, se ninguém achasse graça, eles iam puxar uma risada alta e dissimulada para que eu não me sentisse a pior pessoa do mundo. As falsianes porque, mesmo se eu fosse muito ruim, elas iam rir na hora e falar mal depois. E, nesse caso, dane-se o depois. O que importava era a minha estreia na stand up comedy.

Escrevemos então um quase-roteiro. No dia da apresentação, Johnny veio até a minha casa, começamos a ensaiar e, durante todo o tempo, eu dizia:

— Johnny, vou esquecer tudo na hora. — E cada vez que eu dizia isso, ia ficando mais nervosa.

Saímos de casa rumo ao bar. De repente, eu soltei:

— Johnny, esqueci uma coisa!!!

— O que foi? — ele perguntou, na certa já imaginando que se tratava de alguma parte do texto.

— Esqueci de raspar o sovaco e eu tô de camiseta, não posso aparecer na minha primeira apresentação com o sovaco peludo!

E lá fomos nós até a farmácia, à procura da gilete perfeita, e obviamente fizemos o maravilhoso processo da raspagem lá mesmo, com várias pessoas comprando seus remédios (e todos me olhavam com cara de espanto enquanto escondiam sutilmente suas bolsas).

Enfim... chegamos ao bar, que estava bastante cheio, e Deus agiu de novo em minha vida, fazendo com que meus amigos e as falsianes saíssem do conforto de suas casas numa terça-feira só pra me ver. Caio, o "anfitrião" da bagunça cultural do bar, me recebeu muito bem e disse: "Você vai ser a última", Putz... A última a subir no palco? E aí, o que fazer com o negócio de ansiedade que dominava meu pequeno corpo naquele momento? Eram quatro comediantes na minha frente. "E se eu esquecer o texto? E se eles forem muito bons? E se forem muito ruins? E se, na minha vez, todo mundo tiver ido embora??? SOCORRO!!!"

O show começou. A plateia se divertia timidamente com a primeira apresentação e eu ficava cada vez mais nervosa. Puxei Caio no canto e disse:

— Posso ir depois dele?

Ah, gente, pra que prolongar o sofrimento, né? Caio aceitou e lá fui eu. O palco improvisado era muito baixo, ninguém me via e tive que subir numa cadeira. Com isso, arranquei algumas gargalhadas do público (e nesse momento, silenciosamente, agradeci a Deus pelo meu tamanho).

O show, que era pra durar oito minutos, durou quinze, com direito a muitos aplausos para as minhas piadas! Muitas, mas muitas risadas e aquele "Ahhhhhhhhhhh" de tristeza quando terminou. Saí do palco como, adivinhem? Me sentindo a nova gênia do humor brasileiro! A galera toda veio falar comigo! É, fodi com a apresentação do menino que subiu ao palco depois de mim, desculpa, mas o povo veio carregado de abraços, olhares sinceros e elogios.

PRONTO, DECIDI, VOU FAZER STAND UP.

Pedi ao dono do bar pra me apresentar na semana seguinte, já estava confiante e segura (quase a Batgirl). E uma semana depois estávamos lá, Johnny e eu, para a segunda apresentação. Como eu era a nova revelação da comédia dos últimos tempos, resolvi ser a última. Pra quê...

Fazer stand up em bar é muito bom, porém bastante complicado. Nem todas as pessoas que estão lá querem assistir ao seu show. Subi e comecei, dessa vez com menos amigos e uma segurança estranha, tanto que eu podia jurar que algo ia acontecer. Estava tudo muito bom, e mar calmo demais é sinal de grandes ondas.

E aconteceu mesmo. No meio do show, entrou um rapaz bonito e parou ao meu lado com o celular na mão. Ele me olhava, olhava o celular. De repente, ele interrompeu o show dizendo:

— Você não é aquela menina que fez o vídeo sentada na privada?

Eu podia fazer a Kátia Cega, ignorá-lo e seguir com meu show, mas em stand up você não consegue fazer isso. O público quer interagir. E, cá pra nós, ele era bem bonitinho, trajando uma roupa quase social, vai que...

Continuando: olhei pra ele com um sorrisinho no rosto, quase angelical, e disse:

— Sim, sou eu.

— EU NÃO GOSTO DE VOCÊ.

Meu Deus, e agora? Um hater gato no meio do meu show! (Lembra do lance sobre o mar calmo ser bom demais pra ser verdade? Então...)

Eu respondia a ele de forma bem-humorada, e ele não saía do meu lado. Estava um pouco, talvez muito, embriagado, e pior, cada vez mais agressivo. Naquele momento, ele desceu do posto de hater gato para o de hater chato. Paciên-

sem filtro

cia tem limite! Ele não gostar de mim, tranquilo, mas querer discutir comigo durante meu show, que naquele momento já não era mais um sucesso. Desci da minha cadeira-palco, olhei bem no fundo dos olhos dele e disse:

— Aqui ao lado tem outro bar, se você não gosta de mim, vai pra lá, inclusive a cerveja é mais em conta.

APLAUSOS!!!

Continuei minha apresentação, menos feliz, porém, mais confiante. Quando terminou, ele me deu um abraço e disse:

— Eu não te odeio, eu te adoro. Só fiz aquilo para te testar e ver se você é boa mesmo.

Nesse momento, fui até a cozinha do bar, peguei uma faca e matei o cara num só golpe, na frente de todos, e assim fui capa do jornal mais sensacionalista da cidade. Mentira, não matei o rapaz, mas essa era mais ou menos a minha vontade naquele dia.

Continuei fazendo meus shows no bar cultural. Toda terça-feira, Johnny Ferro e eu estávamos lá. Virou rotina, quase um trabalho de carteira assinada. Foram três meses de puro aprendizado prático em que eu me diverti MUITO!

Eis que, numa noite, com apenas quatro estrelas no céu, meu telefone tocou (Triiiiiiiiiimmmmm). Eu odeio falar ao telefone, lembram? Mas não conhecia o número e resolvi atender na esperança de que fosse o Leonardo DiCaprio.

— Alô?

— Oi, Marcela, tudo bem? Aqui é Viviane. Então... eu fiquei sabendo que você faz stand up!?

— Sim, faço.

— Eu tenho uma produtora e quero contratar você pra viajar com o seu show pelo Brasil.

Fiz "Ahhhhhhhhhhhhhhhhhhhhhhhhhh" internamente.

— Sim, pode falar.

— Quanto tempo de duração tem seu show, uns quarenta minutos?
— Isso mesmo, entre quarenta minutos e uma hora.

— Perfeito. Vamos marcar uma reunião e eu já vou começar a vender seu show agorinha. Beijos.

Desliguei o telefone e comecei a gritar descontroladamente. MEU DEUS, ESTOU VENCENDO NA VIDA, FINALMENTE VOU COMEÇAR A GANHAR DINHEIRO, EU SOU UMA ESTRELA!!! Mas... Eu menti. Ah, tá, vai me dizer que você nunca mentiu? Meu show tinha apenas oito minutos com um roteiro mambembe, que Johnny e eu construímos com muitas gargalhadas. Mas não podia desperdiçar essa oportunidade, ela parecia ótima e podia mudar a minha vida.

sem filtro

A reunião aconteceu. Já tínhamos mais de dez shows marcados em apenas uma semana, estava tudo perfeito, só não tínhamos um texto. Ah, mas quem precisa de texto? Qualquer coisa eu canto uma música, improviso, quem vai se importar? As pessoas vão lá pra me ver.

Foi aí que, através de Paulinho Serra, conheci o querido Fábio Güeré, que começou a me ajudar a construir o texto. Era tudo muito bom, dessa vez não estava nervosa, estava empolgada, feliz e, claro, ansiosa (com S).

A menos de uma semana do primeiro show, quando o texto ainda não estava pronto, recebi uma ligação de Viviane. Com uma voz aflita, ela disse:

— Marcela, tem pouquíssimos ingressos vendidos para o seu show, vamos ter que cancelar.

Putz, que merda, cancelar a primeira apresentação da minha turnê (será que quebrei um espelho e não lembro? Porque tá complicado...). Viajamos então para a cidade do segundo show, que acabou virando o primeiro. Chegamos ao hotel, que era bem bonito por sinal, deixamos as malas e fomos dar uma volta na cidade. Queria ver minha cara nos outdoors, pessoas distribuindo flyers na porta no shopping, carro de som berrando, com alguns malabaristas rodando bolinha, homens cuspindo fogo, poodles equilibristas (sem palhaço, por favor, tenho medo de gente com o rosto pintado), anunciando minha chegada triunfal, mas não vi meu nome destacado em nenhum lugar, e lembro de ter ficado com medo na hora. Porque a gente sabe que divulgação é tudo (uma boa parte do tudo, pelo menos). O cara pode ter o melhor show do mundo, mas, se as pessoas da cidade onde ele vai se apresentar não ficam sabendo que ele está ali para fazer um show, pode ser (e geralmente é) um fiasco de público.

Então, liguei para a Alessandra, minha assessora de imprensa no Rio (sim, precisei de assessora para o show, fazer tudo sozinha é foda, ninguém merece) e perguntei se tinha saído alguma matéria na mídia local sobre o meu espetáculo. Ela desligou e foi procurar a informação que eu pedi. Quinze minutos depois, a Alessandra me ligou para soltar a seguinte bomba:

— Não estou achando quase nada falando sobre você nessa cidade. Pra ser sincera, nada. Tem apenas quatorze ingressos vendidos.

Pra vocês terem uma ideia, nem um cartaz feito com cartolina, tinta guache e uma foto minha três por quatro na porta do teatro tinha. Gravei um vídeo de emergência, informando aos habitantes daquela simpática cidade que teria um show meu.

Cheguei ao teatro extremamente nervosa. Tocou o terceiro sinal, eu já estava no palco, com as pernas bambas, uma vontade mista de fazer xixi e cocô, quando abriram as cortinas. NÃO ESTAVA VAZIO! Respirei aliviada e disse pra mim mesma: "Eu vou fazer um puta show pra essas pessoas". E consegui!

Depois que terminou, saí pra tirar foto. Quase todo mundo que assistiu ao show estava no saguão do teatro, com os respectivos celulares na mão e carinhas emocionadas e sorridentes. UFA! Missão cumprida. Johnny e eu voltamos pra casa no dia seguinte, com pouco dinheiro no bolso (mas já era alguma coisa), porém satisfeitos.

Na semana seguinte, fizemos o show numa cidadezinha do interior, e foi superbacana. Porém, às vésperas do terceiro (que deveria ter sido o quarto show), recebi a notícia de que tínhamos mais uma apresentação cancelada, dessa vez, por causa do meu posicionamento político. Tudo bem, não teve show, mas essa quizumba me rendeu um vídeo com mais de um milhão de visualizações, obrigada.

Seguimos para o quarto show (que seria o quinto — isso está ficando confuso). Uma viagem longa... um calor de oitocentos e quarenta e sete graus e um hotel onde o Wi-Fi não funcionava. Dois shows... Dois shows cancelados. Mais uma vez, ninguém sabia que eu estaria naquela cidade.

Numa dessas viagens, conheci uma pessoa muito bacana, que disse pra mim:

— Marcela, nenhuma folha cai no chão se não for da vontade de Deus. Se tudo isso está acontecendo hoje (no caso, há muito tempo), é porque ali na frente vai ter uma coisa muito boa pra você.

E tinha. Antes que qualquer outro show fosse cancelado, arrumei uma nova produtora e deixei bem claro: "PELO AMOR DE DEUS, NÃO QUERO QUE MAIS NENHUM SHOW MEU SEJA CANCELADO POR FALTA DE PÚBLICO!". Cuspimos na mão, nos cumprimentamos (para de fazer cara de nojo, não cuspimos de verdade), e lá fomos nós para o nosso "primeiro show". Johnny, já sem unhas, e eu com aquele negócio no intestino.

O show foi incrível, teatro lotado, tivemos que abrir uma segunda sessão, tudo foi perfeito, nem sombra da confusão que Viviane vinha fazendo. Mas isso é assunto para o próximo livro, porque ainda tem muita coisa para acontecer (torçam por mim!).

E, mais uma vez, assim como foi a minha chegada ao YouTube, ao mundo e talvez até à barriga da minha mãe, eu precisei cair, arranhar meu joelhinho, quebrar a cara e levantar de novo. O legal é que, depois de uma queda, sempre consigo levantar mais forte. E as lições aprendidas fazem tudo valer a pena.

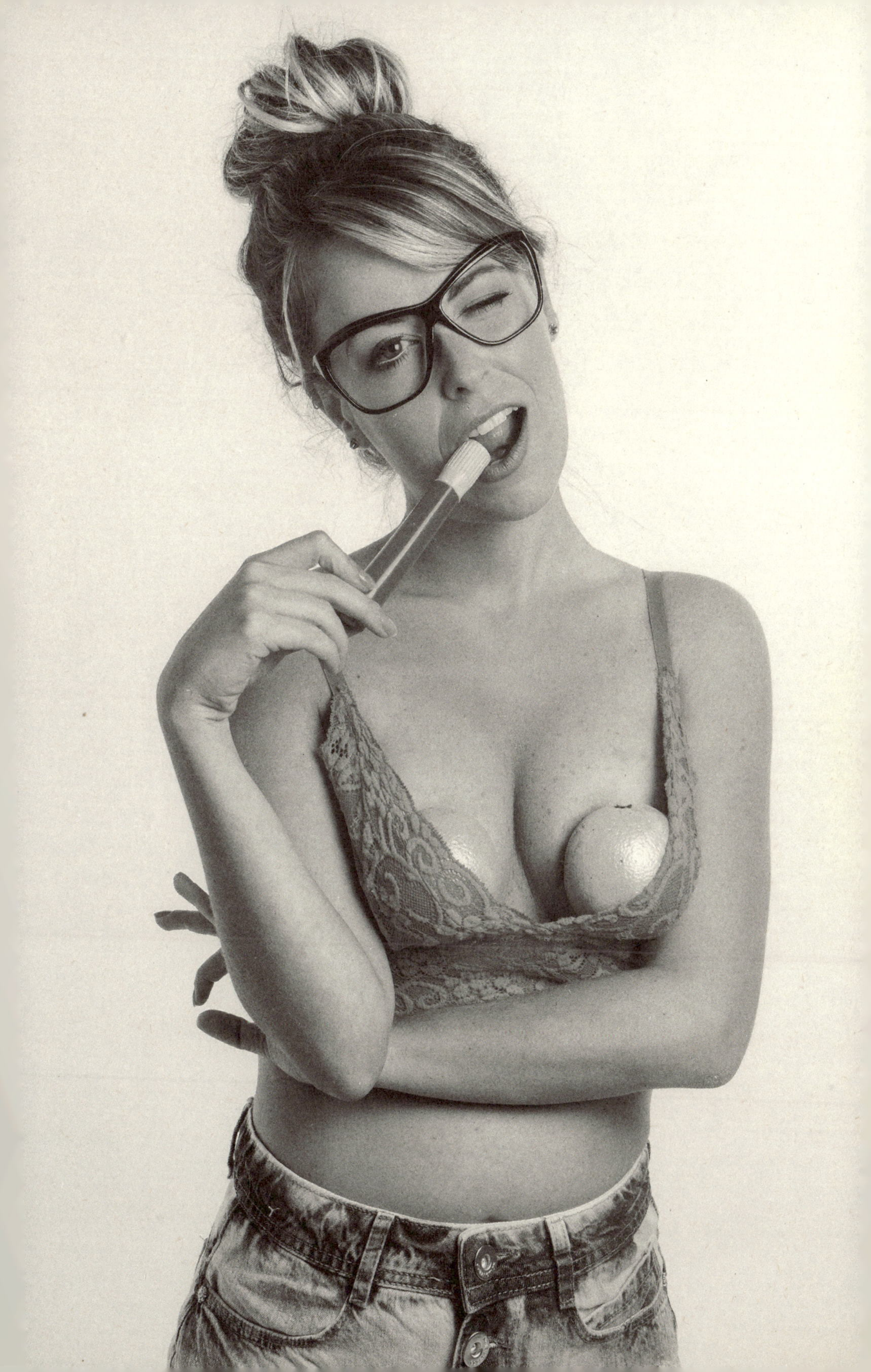

Os limites do humor no reino do politicamente correto

Uma coisa que ninguém pode negar é que os comediantes brasileiros, atualmente, são levados muito a sério (que contraditório, não?). Tanto que o cara tem que pensar mil vezes sobre a piada que vai fazer, se alguém vai se ofender, se alguma entidade (governamental ou não) vai tentar atacar sua moral e carreira movimentando a mídia para queimar o artista (nessa hora, o finado Costinha deve dar graças a Deus por não estar mais aqui, imagine só!).

É por isso que eu adoro a liberdade dos norte-americanos na hora de fazer comédia. O jogo com eles é aberto, cartas na mesa, e o resto que se dane. Se você pegar algum desenho adulto norte-americano para ver, um cartoon que seja, por exemplo, vai notar na hora que nós estamos muito atrasados no quesito liberdade de criação. O comediante brasileiro tem que cruzar um campo cheio de jararacas imortais e dinamites. Tem que andar com um livro de regras de etiqueta embaixo do braço, uma lista política de nomes santos que não podem ser usados em vão e uma enorme pasta de assuntos que jamais, sob hipótese alguma, podem ser mencionados.

Sabe o que fica disso? Um povo mais chato, mais seco por dentro, sério demais, excessivamente coitadinho, e que aos poucos desaprende a rir de si mesmo. E é muito triste quando as pessoas não conseguem mais rir da vida (eu rio muito de mim). Gente, por favor, isso é um PÉSSIMO SINAL.

Em outro capítulo eu comentei rapidamente que a comédia nasceu do escárnio, da gozação. Lá na Idade Média, enquanto os plebeus do reino rolavam de rir dos atores que encenavam espetáculos esculhambando a nobreza, vinham lá os anõezinhos salientes (não estou falando de mim, é sério) vestidos de família imperial, reis, rainhas, falando as maiores sacanagens e o povo rolando de rir. Mas, acredite, esse era o papel central da comédia. Fazer o povo rir das desgraças em forma de caricatura e, ao mesmo tempo, conscientizar, informar o povo sobre a sociedade em que viviam.

A comédia gosta muito de explorar a caricatura, desde sempre. Esse é o motivo de muitas pessoas famosas se tornarem personagens hilários nas mãos de alguns humoristas. E o público adora! Não é à toa que o dono de uma das maiores emissoras de TV deste país é imitado por uma caralhada de comediantes. E ele tá lá, firme, forte e lindo (sou tiete dele mesmo).

sem filtro

É claro que existe o humor babaca, aquele do humorista que aponta para a barriga de alguém e grita "OLHA O GORDO, VAMOS RIR DELE PORQUE ELE É GORDO" (aí não dá, né?). Vamos escrotizar um mendigo porque ele é mendigo, o pobre porque ele é pobre, o desdentado porque não tem dente (ELE NÃO TEM DENTE, VAMOS RIR, AHAHAHAHA)... Esse é o humor apelativo, idiota, que eu chamo graciosamente de *trash comedy* (humor apelão). Então, para esse tipo de humor, eu entendo que alguns limites devem ser estabelecidos.

Imagine se você está em casa, sentada numa privada, e de repente um humorista de *trash comedy* surge na sua janela, suspenso por uma corda em um helicóptero, só para revelar aos espectadores a grande dúvida: seus pelos pubianos são pretos ou amarelos, hein? Dá vontade de mandar uma criatura dessas para o fundo do pré-sal. Isso não é humor, não mesmo, é coisa de bobo da corte com sérios problemas mentais.

Então, seguindo e finalizando este capítulo, é claro que existem limites naturais para fazer humor sem ferir as pessoas. Contudo, o comediante já não sabe qual é o seu espaço limite. Em meio a tanto mimimi, fazer o povo rir sem fazer alguém chorar vai se tornando impossível, e isso é muito triste para um país que, até ontem, era conhecido por seu bom humor, sua simpatia e sua maneira mais alegre e despojada de ver a vida. Uma pena que a chatice dos pseudointelectuais tenha atingido em cheio a comédia. A graça? Passa longe.

E o mimimi dos processos?

Quando eu digo que o comediante já não sabe o que falar e para onde correr, me refiro à enxurrada de processos, tanto da parte de grupos mais voltados a militâncias, quanto das próprias celebridades que se sentem ofendidas. Calma, gente, muita calma pra botar a cabeciiiiinha no lugar e raciocinar comigo. Eu mesma já disse que o *trash comedy* é um saco, pois não é engraçado perturbar as pessoas, fazer uma espécie de bullying bonitinho, mas daí a proibir que qualquer comediante faça uma piada é um pouco demais! Não pode falar de político, não pode falar de cantor, não pode fazer imitação, não pode, não pode, não pode... E tome o quê? Processo!

Quem fica feliz com show de comédia no Brasil, hoje em dia, é site sensacionalista e advogado, só pra pegar mais uma ou outra causa ganha e uma matéria de destaque. E vou te falar, isso é uma coisa que vai nos limitar muito pelas próximas décadas. Esse ranço, essa cagação de regras desenfreada, essa linha de raciocínio boba em que todos se ofendem com todos, vai limitar profundamente o trabalho dos artistas. Ficaremos conhecidos como a geração do mimimi, ou melhor, a geração do processo.

Alguns casos são tão loucos que o artista proíbe que o comediante fale o nome dele novamente. Imagina isso? O cara é uma pessoa da mídia, invade o rádio e a TV das pessoas, é uma figura conhecida, mas nenhum humorista pode sequer falar o nome dele para não perder o pouco dinheiro

sem filtro

que tem pagando indenização. Duvido que, sem a mídia, sem os comediantes fazendo caricatura, e também as pessoas que consomem o material, o cara se manteria na boca do povo (divulgação é quase tudo, lembra?).

Portanto, calar o humorista é calar o lado mais criativo, engraçado, brincalhão, crítico e informativo do povo. É perigoso? Muito! O brasileiro, historicamente, nunca foi assim. Éramos como um grande bloco, uma unidade que se virava bem e não esquentava a cuca com bobagem. Agora, prestem bem atenção, cadê aquela união que o povo demonstrava antes? Sumiu? Por quê?! Hum... Pois é... É mais fácil dividir as pessoas para manipular melhor do que empurrar um bloco inteiro (o povo, unido, jamais sairá fodido), por isso há tanta gente brigando por porra nenhuma, por isso há tanta gente interessada em institucionalizar a chatice e o mimimi para calar as pessoas. E tome processo!

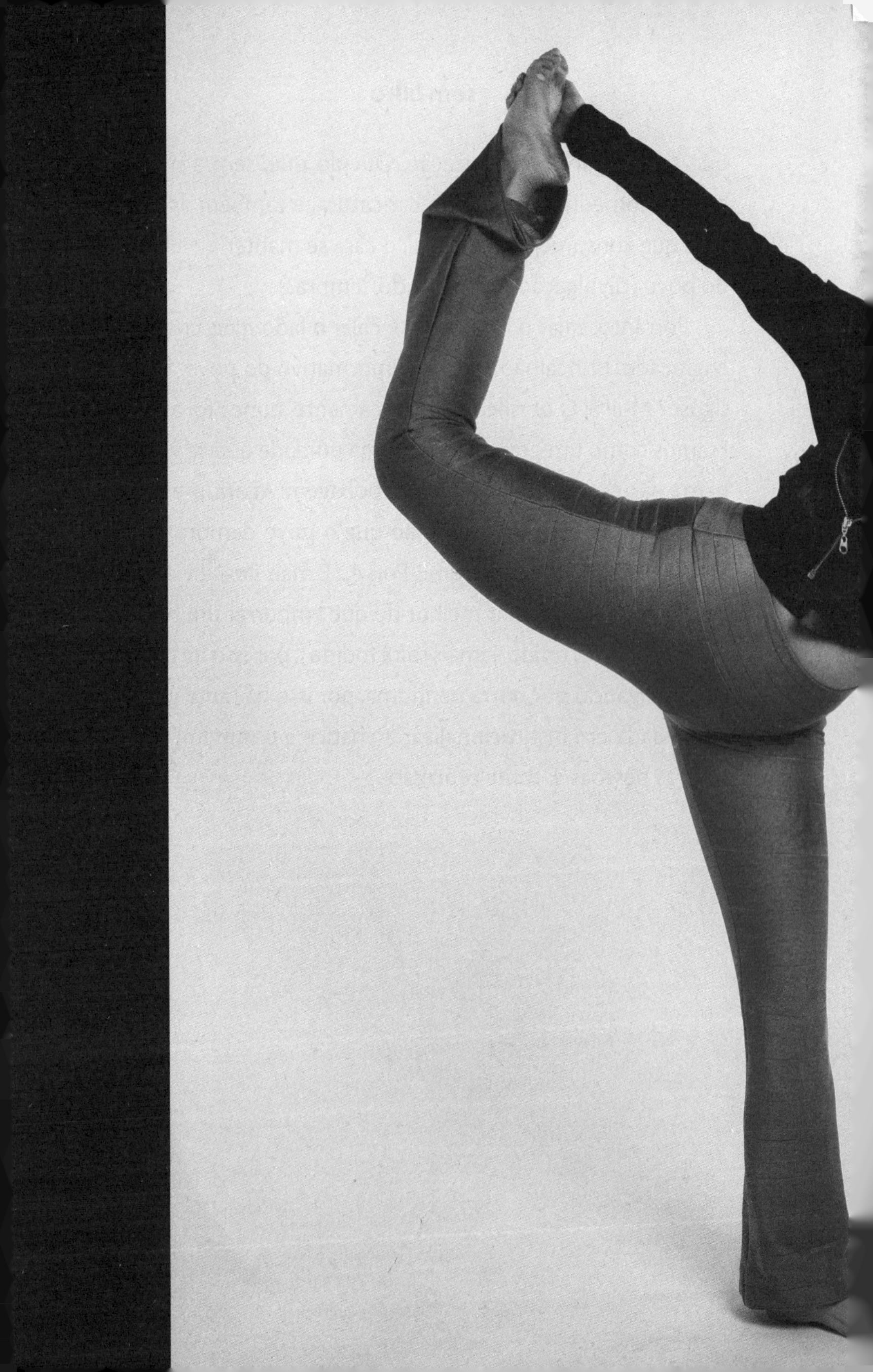

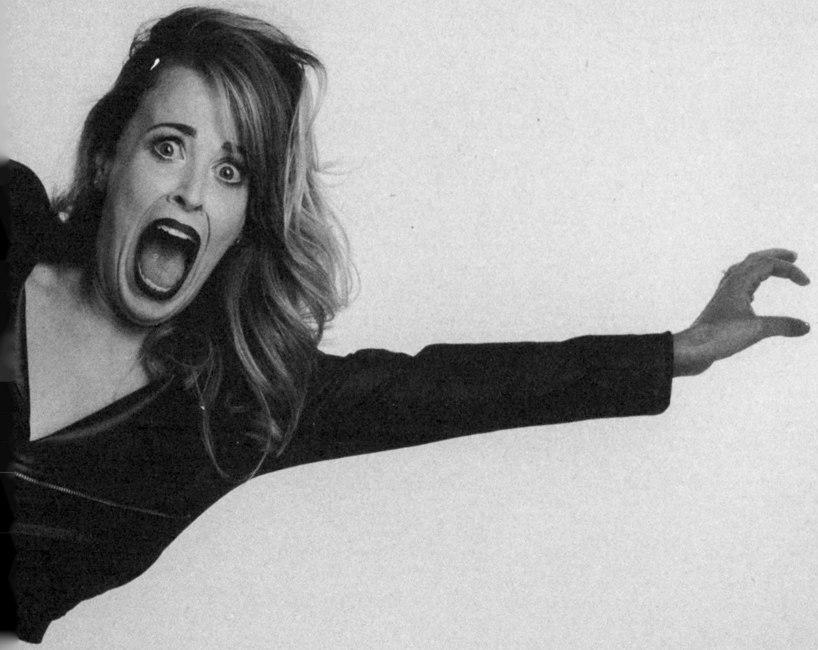

Opinar/ Propagar o ódio

Voltando (e certamente encerrando porque ninguém merece) à questão do mimimi, precisamos falar sobre a diferença entre opinar e odiar. Que fique bem claro, antes de tudo, que meu vlog, meu canal, minhas redes refletem as minhas opiniões. *Ah, Marcela, mas todo mundo tem alguma opinião e algumas ofendem as pessoas!* Não, gente, espera, existe sim uma diferença clara entre opinar e propagar o ódio. Qualquer pessoa, antes de formular uma opinião, deve ter certeza sobre o que está falando. E deve, sim, perceber os limites entre a opinião e a ofensa direta. Quando eu estou gravando um vídeo, as palavras todas ali são de minha responsabilidade, refletem somente o meu entendimento. Não é um discurso para arrebanhar seguidores, para que todos sigam ou pensem da mesma maneira. O mais legal da sociedade em que a gente vive é justamente esse contraste entre as opiniões, as ideias, os caminhos, as observações que cada um tira da vida e do mundo que o cerca.

Vamos imaginar um mundo perfeito, com margaridas espalhadas por todo o sistema solar? Que bom seria, não é... Se todos respeitassem a opinião do coleguinha. Ou mesmo que discordassem, o que é absolutamente normal, não partissem para a guerra. Seria um mundo perfeito, não? Então, esse mundo perfeito se chama democracia, essa coisa estranha cheia de gente pensando um monte de merda diferente de você se chama sociedade, e sinto lhe informar que é assim que as coisas são. Pessoas são diferentes, mentalidades são diferentes, e é preciso saber conviver com isso. NÃO ENTENDA A OPINIÃO DO OUTRO COMO UM ATAQUE DIRETO A SUA PRÓPRIA OPINIÃO. APRENDA, QUERIDA CRIATURA MIMIZENTA, A OUVIR E FILTRAR INFORMAÇÕES E DEBATER SEM CUSPIR, URINAR, DEFECAR NOS OUTROS, OBRIGADA, FICA COM DEUS.

Resumindo este capítulo: As coisas que eu digo, e escrevo, são da minha inteira responsabilidade, e isso não dá o direito de ninguém julgar como incitação ao ódio. Pelo contrário, se eu estivesse incitando o ódio não teria a repercussão positiva que tive no meu canal, nem o número de fãs e espectadores. Não existe ódio em um debate saudável de ideias, no qual as pessoas respeitam opiniões divergentes. Não existe ódio em ser você mesma, cons-

sem filtro

ciente de que a sociedade fundamentada por nós tem sim os seus limites, mas o mimimi não pode vencer e ditar normas para que todos pensem do mesmo jeito sob pena de ser excluído, ou apedrejado em praça pública. Opinião e libertação caminham juntas, de mãos dadas, e talvez se beijando no parquinho. Viva a liberdade de opiniões, viva o Brasil menos burro!

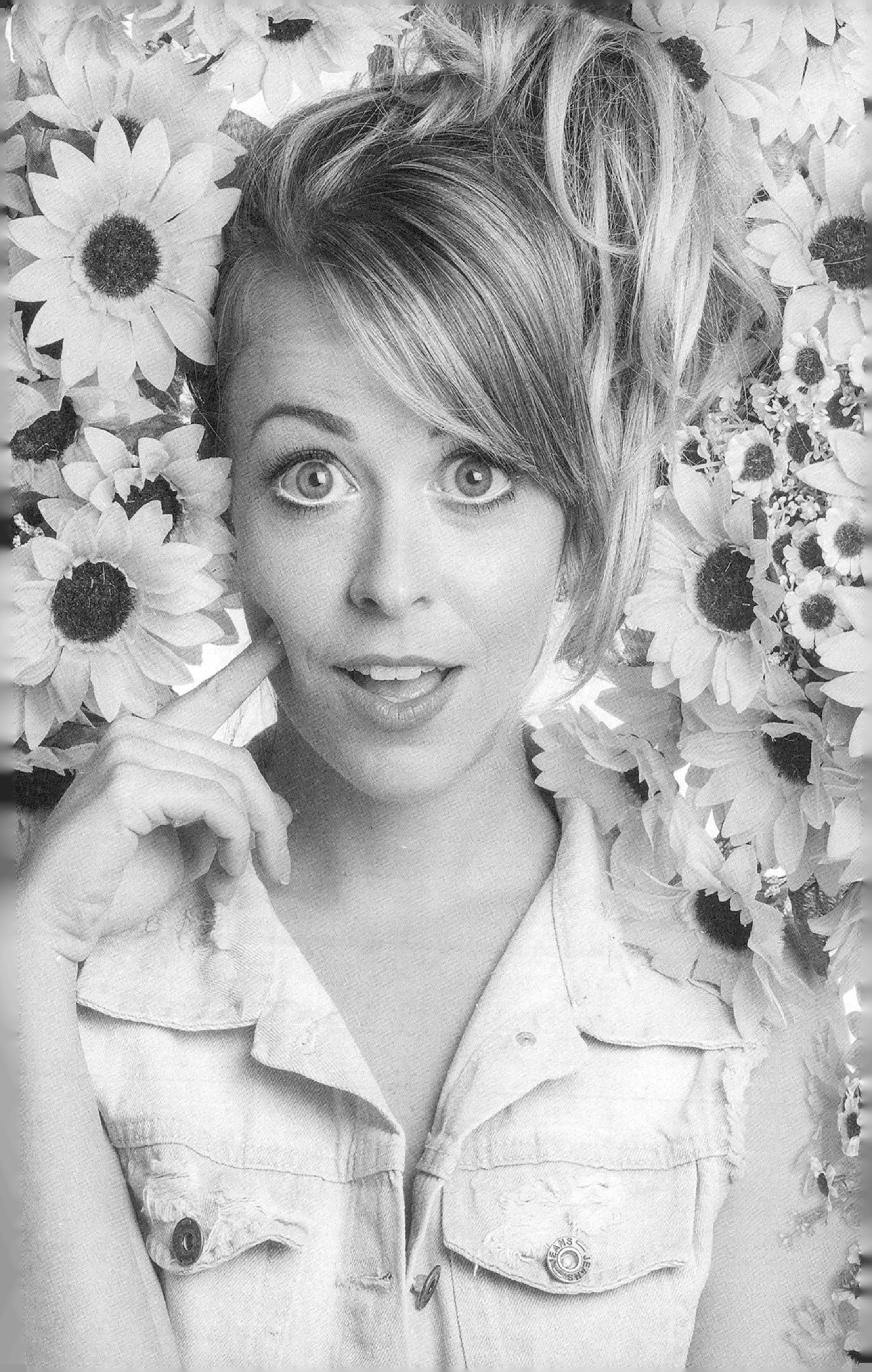

Receita de bolo fit

Ingredientes

145 colheres de farinha de linhaça

17 ovos da galinha pintadinha

289 xícaras de fermento em pó

18 potes de Whey

25 colheres de outra farinha que não lembro o nome

7 pitadas de sal

8kg de cacau em pó

577 cenouras do Pernalonga

18 bananas com casca

127 maçãs

1 goiaba sem o bichinho, por favor

13 caixas de morango (sem a caixa)

12 colheres bem grandes de adoçante

Modo de preparo

Leve todos os ingredientes ao liquidificador e bata tudo por 57 minutos, ou até formar uma massa cremosa. Despeje essa massa em uma forma cheia de óleo de coco ou de silicone, ou cola branca, e leve para assar em forno médio pré-aquecido por 75 minutos. Espere esfriar, desenforme e sirva a seguir.

Por favor, não faça isso em casa, sério.